D1108984

APROXIMACION AL QUIJOTE

BIBLIOTECA BASICA SALVAT

Comité de Patronazgo

Esta colección BIBLIOTECA BASICA SALVAT, singular en el mundo por su lanzamiento y su tirada, constituye una aportación decisiva para la difusión de la cultura y la promoción del libro.

Resultado de la combinación de múltiples esfuerzos, BIBLIOTECA BASICA SALVAT ofrecerá un panorama completo de la cultura contemporánea y constituirá una auténtica y asequible biblioteca.

MARTIN DE RIQUER
de la Real Academia Española

APROXIMACION AL QUIJOTE

PROLOGO DE DAMASO ALONSO

SALVAT EDITORES, S. A.

© Martín de Riquer - Editorial Teide, S. A.
Salvat Editores, S. A.

Impreso en:
    Gráficas Estella, S. A. Carretera de Estella a Tafalla, km. 2 - Estella
    (Navarra) - 1971

Depósito Legal NA. 665 - 1971

Printed in Spain

**Edición especialmente preparada para
BIBLIOTECA BASICA SALVAT**

INDICE

PROLOGO

El lector tiene en sus manos una Aproximación al Quijote: *hay que entender que se trata de una aproximación para la que se parte de multitud de puntos distintos, de tal modo que esta obra, dentro de su pequeño tamaño, contiene una verdadera enciclopedia del* Quijote, *dirigida a un público amplio, a todos aquellos que quieren saber, saber más, pero que son ajenos a la especialización, a la profesión literaria.*

Era necesario aclarar, antes que nada, la historia del Quijote, *partiendo de la personalidad de su creador. Por eso, Martín de Riquer comienza su libro dándonos una vida de Cervantes, escrita con datos seguros y precisos, es decir, sin esas fantasías con las que muchas veces otros la han adornado.*

Después de haber enfocado esta perspectiva, le queda ya todo preparado a Martín de Riquer para dedicarse a su tema principal: en un análisis siempre vivificado por multitud de comentarios atrayentes y muchas veces inesperables, nos va llevando paso a paso a lo largo de la cadena de aventuras del hidalgo manchego. Riquer nos explica tanto el sentido externo de ellas como su profunda significación, y al mismo tiempo la serie de problemas que para cada aventura se le han presentado a la crítica, y el modo como los diferentes investigadores los han tratado de resolver.

Exponer todo esto con la claridad y exactitud con que en este libro se hace, sólo le podía ser dado a Martín de Riquer, porque él es, quizás, el español de nuestros días que más se ha «aproximado» a la gran novela de Cervantes, que lo ha hecho con más reiteración y desde más perspectivas distintas. Y esta

11

multiplicidad de su previo acercamiento al libro es lo que hace posible ese entrecruzarse de puntos de vista y de cortes distintos, a través de la trama del Quijote, que en la presente obra se contienen. Todo dicho con tanta llaneza, con palabras tan sencillas y amables, que este libro, que por su precisión y riqueza puede ser muy útil aun para los que se han preocupado por los problemas cervantinos, lo es también, ante todo, para los que lleguen a la lectura sin más preparación que su inteligencia y su deseo de conocimiento.

Las líneas que siguen ahora valgan sólo como una primera aproximación a esta Aproximación, *como una invitación a su lectura.*

Realismo.

La novela moderna, es decir, la que en los principales pueblos de Europa llega a su forma definitiva en el siglo XIX, no hubiera sido posible sin los avances del realismo a lo largo de varios siglos. En ese progreso, la contribución de la literatura española ha sido enorme.

Pero ¿qué es «realismo»? El creador realista parte, naturalmente, de la realidad, aunque lo más frecuente es que no siga un modelo concreto y único de ella. Tomemos el personaje que sin duda es la cumbre del realismo español: Sancho Panza. Para los hispánicos, Sancho nos es más real que muchas criaturas con las que hablamos todos los días. Es indudable que Cervantes, que tan ásperamente se rozó toda su vida con la realidad exterior, tomó de ella rasgos de muchos rústicos; tal vez, aunque no tenemos dato alguno sobre ello, de alguno o algunos de cualquier lugar donde el novelista vivió, o tratados en una venta o en las jornadas de un camino. Todo eso es posible. Pero el Sancho que conocemos, el que se nos mete por el alma, y aun por los ojos, a los lectores del Quijote, es mucho más que todo eso, es un inmenso complejo de refranes, sentencias, agudezas, chistes, cuentecillos, en una palabra, ciencia popular, de carácter tradicional, que en casi todos sus pormenores nos es conocida de otras tierras y de siglos muy anteriores. Toda esa materia que podemos llamar «folklórica» la juntó genialmente Cervantes, la fundió, para crear esa criatura, Sancho, más real que las de carne y hueso. Arte realista es aquel en el que su creador logra infundir en el lector una sensación de realidad que se le mete por el alma y aun por los ojos. Y lo mismo da que el artista tuviera un modelo directo o no: Cervantes concentró, en Sancho, no un ser humano único, sino un mundo de ciencia popular.

Claro está que este arte se aplica lo mismo a seres humanos que a cosas: el escritor realista puede hacernos ver con especial intensidad unas veces seres humanos, otras veces una armadura, un caballo, un patinejo, una habitación... Pero el realismo español, desde sus mismos orígenes, se ha preocupado principalmente en hacer que viva, evocado dentro de nuestra imaginación, el hombre, sobre todo el alma del hombre, la reacción de esa alma ante las cosas, y en especial ante otros seres humanos. *El realismo literario español es un realismo psicológico.* Desde el Poema del Cid (en neta oposición a la francesa Canción de Roldán) y a través del Arcipreste de Hita, del Arcipreste de Talavera, de la Celestina y de El Lazarillo de Tormes, la literatura española, con una constancia y en una gradación que se pensaría dirigida dentro de un plan supremo, se ha propuesto la pintura del alma humana. No es una pintura estática, es el movimiento, los cambios del alma ante las cosas y ante los otros hombres. Esa técnica española para pintar las almas se desarrolla — como acabamos de indicar, con sus jalones principales — durante la Edad Media, y al final de ese período viene a culminar en la Celestina, obra en la cual, por primera vez, el realismo psicológico ha creado grandes, intensos caracteres. A mediados del siglo XVI se señala un nuevo avance: en el Lazarillo de Tormes, también por primera vez, esa maestría psicológica, de raíz medieval, ha ido a insertarse en una verdadera novela. En ese crecimiento literario del estudio del alma humana, el inmediato escalón es el Quijote.

Para comprender algunos de los rasgos de la técnica cervantina en la pintura del alma, podríamos seguir la evolución de Sancho a través de la obra inmortal. Sancho está oscilando constantemente: unas veces, su credulidad o su deseo de ventajas materiales le hacen participar en una especie de quijotismo, y cree las disparatadas fantasías de su amo; y otras, su sana razón de campesino manchego ve y conoce la más neta realidad: los molinos como molinos, y los rebaños como rebaños. La verdadera interpretación del alma de Sancho reside en este movimiento pendular entre ser un Sancho-Quijote y un Sancho-Sancho, con innumerables grados intermedios entre ambas posi-

ciones extremas. El realismo psicológico medieval era más apre-
tado, se podría decir más violento. Cervantes es señor absoluto
de sus materiales, tanto, que el lector le juzgaría despreocupa-
do de ellos: Sancho va oscilando sin violencia alguna, naturalí-
simamente, a lo largo de la gran obra de Cervantes.

En el Quijote llega, además, a su culminación otro impor-
tantísimo descubrimiento de la novela española. Es el Lazarillo
la primera novela en la que se encuentra un ejemplo de lo que
podemos llamar carácter mixto o entreverado. El hidalgo del
Lazarillo es grotesco, pero sentimos piedad por él. ¿Es comple-
tamente grotesco? No: es una mezcla de grotesco y admirable.
Esta mezcla es totalmente nueva en literatura; es uno de los
rasgos que dividen dos mundos: la novela vieja y la moderna.
Creo que ése es uno de los máximos descubrimientos de la lite-
ratura española.

El verdadero heredero de ese descubrimiento, no es la nove-
la picaresca, sino Cervantes. El hidalgo del Lazarillo anuncia la
figura de don Quijote. La «anuncia» solamente: era todavía
local, limitado; había algo noble y digno en su hidalgo, pero
nadie podía decir que fuera sublime. Cervantes ha visto con
claridad que todos nosotros somos una mezcla, pero generaliza,
universaliza su imagen de esta aleación, y así nos da en los ca-
racteres de don Quijote y de Sancho una representación del alma
humana elevada a plenitud. Don Quijote, loco, disparatado, gro-
tesco, es enterizo sólo en su valor y en su fe. Es un entrechocar
de planos. Es neciamente sabio, sabiamente necio; es absurda-
mente angelical, angelicalmente absurdo; grotescamente subli-
me, sublimemente grotesco. Y es este choque, que ante todo
provoca nuestra ternura por el héroe, lo que crea también el
humor en la literatura novelesca: de Cervantes se había de di-
fundir por el mundo.

Los escalones del realismo español han ido de tal modo
graduados, que, al contemplar la subida, todo nos parece sen-
cillo, natural, necesario. Del lado del realismo, don Quijote
tenía que producirse en España y cuando se produjo: a princi-
pios del siglo XVII. La flor maravillosa había sido precedida
de una serie de flores más pequeñas todas, en tamaño, color,
perfume, según la primavera de los tiempos avanzaba hacia la
noche de su solsticio. Y todo lo anterior habían sido ejercicios,
virtuosidades de ensayo. El Lazarillo sólo daba fragmentos, rin-
cones de la realidad de España; pero Cervantes ya no da vis-

lumbres o trozos, sino que toda España está metida dentro del Quijote, viviente allí, caliente allí, dándole pulso, como un corazón dentro de un pecho.

Universalidad.

Esto, por lo que toca al realismo. Pero el Quijote es una obra universal. El elemento realista es estático, inalterable. Pero las criaturas de arte se separan del creador y, como seres vivos, crecen de modo natural. El elemento universal del Quijote es en verdad su parte más viva, es fluidizo, cambiante; es el reflejo de la gran obra sobre la cambiante conciencia de los tiempos. Pero ese cambio, en las obras verdaderamente clásicas, es siempre un enriquecimiento. Y el valor universal del Quijote crece sin descanso.

Hay una interpretación que creo queda ya fija, subyacente en cualquiera nueva que se anuncie: el Quijote, este libro tan español, tan localista, es la más sagaz indagación en el inmutable corazón de la humanidad. El primer análisis del hombre es el de su dualidad constitutiva: carne y espíritu; perentorias necesidades fisiológicas y alto vuelo del ideal. Durante mucho tiempo se pensó que el contraste estaba representado por el de don Quijote y Sancho; más tarde se creyó que Sancho era otro Quijote, en cuanto recibía la aureola de idealidad que exhala su amo. Seguimos creyendo que los verdaderos Sanchos, los materialistas, son los Sansones Carrascos, los barberos y los Duques de la novela, pero, como hemos explicado antes, que Sancho es un elemento de enlace, oscilante entre ambos mundos. Lo cierto es que la dualidad existe a todo lo largo de la obra, que es precisamente la razón interna de su unidad. Al indagar así Cervantes el tema esencial y permanente del hombre, lo que le ata a la tierra y lo que le liga a Dios, arrancó o desgajó, sin querer, su libro, de España; y el Quijote ya es, tanto como de España, de Francia, de Inglaterra... de Europa, del Universo; y lo mismo lo podemos retrotraer al hombre que cazaba mamuts, pero que por primera vez sintió, como un dulce vaho, un amor naciente y oscuros anhelos de divinidad, en el fondo de una caverna, que proyectarlo sobre el que dentro de miles de años — entre complejos tráfagos de una inmensa regulación de fríos mecanismos — se mire en unos tiernos ojos de mujer, o contemple, ascensionalmente movido, la profundidad de una noche es-

15

trellada. Así se produjo el prodigio de que el Quijote sea el libro más localista del mundo y, al mismo tiempo, el más universal. Sí, creo que este sentido queda ya permanente en la misma base de todas las interpretaciones.

Visto del lado español, el Quijote se produce exactamente cuando tenía que ocurrir: cuando la larga y maravillosa técnica española del realismo se había injertado por fin en la novela. Pero acabamos de decir cómo el Quijote se nos escapa de las manos a los españoles, porque, por ser tan universal, es de todas las naciones y de todos los corazones humanos. Y habría que preguntar por qué se produjo, no ya para España, sino para el mundo, precisamente cuando los cielos, con lentos cursos de astros, estaban midiendo esos primeros años del siglo XVII. Es que en el mundo, por entonces, ha muerto el héroe, el héroe medieval. (Los últimos héroes que parecen míticos son los españoles del siglo XVI, en la inmensidad desconocida de América.) Dios quita entonces, precisamente, al espíritu humano uno de los dones que durante siglos y casi eras le habían deleitado y exaltado: el poema. Y a trueco le daba uno de los dones que más habían de mejorar el espíritu humano, que más habían de excitar la compasión hacia el desvalido, que más habían de contribuir a este anhelo que hoy tenemos todos (salvo los monstruos) de una distribución más justa de los bienes de la tierra. Recibía entonces el mundo, a cambio del antiguo poema, un instrumento noble, potentísimo y peligrosísimo: la novela.

No todos admiten la validez de esta ecuación: el poema es al mundo antiguo lo que la novela al moderno. Pero nadie podrá negar lo evidente: cuando aquel género se extingue, este otro nace. Don Quijote es exactamente el momento del cambio; de ahí el carácter extraordinario de este libro, lo que le da su más profunda originalidad. ¿Y por qué se produjo entonces?

El poema no podía vivir ya en Europa porque faltaban las condiciones humanas que le habían dado origen.

El poema y el héroe viven en Europa lo que viven la unidad de fe vital y la conciencia de una comunidad de destino. El poema y su héroe mueren cuando Dios abre su mano y parece abandonar a la humanidad (pero no, no la abandona). Es el comienzo de nuestros tiempos de aflicción. Pero España tiene todavía en el siglo XVI una fuerza y una creencia en el destino europeo, que unas veces con amor, otras con sangre, quiere imponer al mundo. España es el único país de Europa donde se produce un curioso fenómeno: que, empapada intensamente en las aguas del Renacimiento, conserva la conciencia universalizadora de la Edad Media. En una palabra: la España del siglo XVI es un producto de dos factores, aún vivos, los dos, entonces: Edad Media y Renacimiento. Por eso mantiene como ningún otro pueblo sus mitos medievales, sus héroes antiguos, sus canciones...

No es una casualidad que los viejos mitos europeos se conserven (hasta cierto punto) o, mejor, se prolonguen en la novela caballeresca, es decir, en España. Y ahora don Quijote (lo viera Cervantes o no) es el héroe, el héroe del poema medieval, y a él va a parar la grandeza unitaria de la fe en los ideales.

Héroe total: como un Cid, como un Roldán, como un Guillermo. El haz deslumbrante de Amadís aún le ilumina, y refulge su inmaculada armadura, según cabalga en esta noche de la declinación del mundo. Por eso su libro es el último gran poema de un anhelo universal, de un ideal intacto. También desde el punto de vista universal, el Quijote tenía que escribirse en España.

Pero Cervantes era un hijo de su tiempo. Al crear el último gran poema de la fe, fue quizás un instrumento ciego. Tuvo, en cambio, los ojos bien abiertos al crear, exactamente al mismo tiempo, la primera y máxima gran novela moderna. Porque ese anhelo medieval universalista fracasa; su ruina es la de España. Y Cervantes lo ve, lo palpa a su alrededor. Y el rutilante héroe, con

> ... la adarga al brazo, toda fantasía,
> y la lanza en ristre, toda corazón,

rueda una y otra vez por el suelo de sus aventuras. Como rodará España, corazón de un ideal ya antiguo, ya imposible, desde el mediodía de Lepanto a la «Invencible», desde la «Invencible» a la paz de Westfalia, para hundirse con risa de la nueva Europa.

Don Quijote es el anhelo antiguo, la creencia en un común ideal humano, es la fe de España. El es España.

De un lado, el caballero y el ideal; de otro, la realidad. Y, al estrellarse contra la realidad, se rompen a la par el caballero y el poema antiguo; y nace para el arte lo particular de la novela. Por eso el Quijote es, a un mismo tiempo, el último gran poema antiguo y la primera y máxima novela universal. Producto de

17

un choque en el cual los dos mundos que chocan se han fundido. Muerte y nacimiento a la vez.

Glorioso nacimiento, pero triste. Y esto explica que ese libro, que es todo un tesoro de cambiante humor, que ha hecho contorsionarse en carcajadas a millones y millones de rostros humanos, sea en verdad profundamente triste. A muchos nos hace llorar.

DÁMASO ALONSO

I
CERVANTES: VIDA Y LITERATURA

Infancia y juventud del escritor.

Miguel de Cervantes Saavedra, hijo de Rodrigo de Cervantes y de Leonor de Cortinas, fue bautizado en la parroquia de Santa María la Mayor de Alcalá de Henares el 9 de octubre de 1547. Es probable que hubiese nacido el 29 de septiembre, día de San Miguel. Fue el cuarto de siete hijos que tuvo Rodrigo de Cervantes, modesto cirujano que, con toda su familia, se trasladó a Valladolid en 1551, donde la suerte no le fue propicia, ya que estuvo encarcelado por deudas varios meses, a pesar de su hidalguía, y sus bienes fueron embargados. Dolor, miseria y vergüenza es lo primero que respiró el futuro escritor en su infancia, en la que no faltarían las privaciones y los sinsabores.

Nada seguro se sabe sobre los primeros estudios de Cervantes, que, desde luego, no llegaron a ser universitarios. Parece que cursó las primeras letras en Valladolid, ya que son hipotéticas unas estancias de la familia en Córdoba y en Sevilla. Más probable es que estudiara en la Compañía de Jesús, tal vez en Valladolid, pues en la novela *El coloquio de los perros* Cervantes hace una descripción de un colegio de jesuitas que parece una evocación de sus años estudiantiles. El perro Berganza dice:

Este mercader, pues, tenía dos hijos, el uno de doce y el otro de hasta catorce años, los cuales estudiaban gramática en el estudio de la

Compañía de Jesús; iban con autoridad, con ayo y con pajes que les llevaban los libros y aquel que llaman *vademecum*. El verlos ir con tanto aparato, en sillas si hacía sol, en coche si llovía, me hizo considerar y reparar en la mucha llaneza con que su padre iba a la Lonja a negociar sus negocios, porque no llevaba otro criado que un negro, y algunas veces se desmandaba a ir en un machuelo aun no bien aderezado... Y así, digo que los hijos de mi amo se dejaron un día un cartapacio en el patio, donde yo a la sazón estaba; y como estaba enseñado a llevar la esportilla del jifero mi amo, así del *vademecum* y fuime tras ellos, con intención de no soltalle hasta el estudio. Sucedióme todo como lo deseaba: que mis amos, que me vieron venir con el *vademecum* en la boca, asido sotilmente de las cintas, mandaron a un paje me le quitase; mas yo no lo consentí, ni le solté hasta que entré en el aula con él, cosa que causó risa a todos los estudiantes. Lleguéme al mayor de mis amos, y, a mi parecer, con mucha crianza, se le puse en las manos, y quedéme sentado en cuclillas a la puerta del aula, mirando de hito en hito al maestro que en la cátedra leía. No sé qué tiene la virtud, que, con alcanzárseme a mí, tan poco, o nada, della, luego recibí gusto de ver el amor, el término, la solicitud y la industria con que aquellos benditos padres y maestros enseñaban a aquellos niños, enderezando las tiernas varas de su juventud, porque no torciesen ni tomasen mal siniestro en el camino de la virtud, que juntamente con las letras les mostraban. Consideraba cómo los reñían con suavidad, los castigaban con misericordia, los animaban con ejemplos, los incitaban con premios y los sobrellevaban con cordura, y, finalmente, cómo les pintaban la fealdad y horror de los vicios, y les dibujaban la hermosura de las virtudes, para que, aborrecidos ellos y amadas ellas, consiguiesen el fin para que fueron criados.

En 1561 la familia Cervantes se halla establecida en Madrid, y Miguel asiste al Estudio de la Villa regentado por el catedrático de gramática Juan López de Hoyos, quien en 1569 publicó un libro sobre la enfermedad, muerte y exequias de la reina doña Isabel de Valois (tercera esposa de Felipe II), que había fallecido el 3 de octubre del año anterior, en el cual incluye tres poesías de circunstancias escritas por «Miguel de Cervantes, nuestro caro y amado discípulo». Son las primeras manifestaciones literarias de nuestro escritor que se conocen.

Cervantes soldado.

En 1569 Cervantes está en Roma, fugitivo de España por haber causado ciertas heridas a un tal Antonio de Sigura, por lo cual fue condenado en rebeldía. Entra al servicio de Julio Acquaviva (que será cardenal en 1570), pero lo deja pronto para sentar plaza de soldado en la compañía del capitán Diego de Urbina, del tercio de Miguel de Moncada. Su compañía se embarcó en la galera *Marquesa*, que el 7 de octubre de 1571 se halló en la acción de Lepanto, formando parte de la armada cristiana mandada por don Juan de Austria. Consta en una información legal hecha ocho años más tarde que «cuando se reconosció el armada del Turco, en la dicha batalla naval, el dicho Miguel de Cervantes estaba malo y con calentura, y el dicho capitán... y otros muchos amigos suyos le dijeron que, pues estaba enfermo y con calentura, que se estuviese quedo abajo en la cámara de la galera; y el dicho Miguel de Cervantes respondió que qué dirían dél, y que no hacía lo que debía, y que más quería morir peleando por Dios y por su Rey, que no meterse so cubierta, y que su salud... Y peleó como valiente soldado con los dichos turcos en la dicha batalla en el lugar del esquife, como su capitán lo mandó y le dio orden, con otros soldados. Y acabada la batalla, como el señor don Juan [de Austria] supo y entendió cuán bien lo había hecho y peleado el dicho Miguel de Cervantes, le acrescentó y le dio cuatro ducados más de su paga... De la dicha batalla naval salió herido de dos arcabuzazos en el pecho y en una mano, de que quedó estropeado de la dicha mano». Se trata de la mano izquierda, que no le fue cortada sino que le quedó anquilosada; pero tales heridas no debieron de revestir mucha gravedad, ya que Cervantes, una vez curado, volvió a ser soldado y participó en otras acciones militares, como veremos luego.

Durante toda su vida Cervantes se mostrará orgulloso de haber luchado en la batalla de Lepanto, que decía ser «la más alta ocasión que vieron los siglos pasados, los presentes, ni esperan ver los venideros» (prólogo de la segunda parte del *Quijote*).

Cervantes cautivo.

Regresaba de Nápoles a España en la galera *Sol*, con cartas de recomendación de don Juan de Austria y del Duque de Sessa, cuando, el 26 de septiembre de 1575, a la altura de Aigues Mortes, a la vista de Las Tres Márías (en la amplia desembocadura del Ródano), les salió al encuentro una flotilla turca, que, tras un combate, en el que murieron varios soldados cristianos y el capitán de la galera española, hizo prisioneros, entre otros, a Miguel de Cervantes y a su hermano Rodrigo. Llevados a Argel, nuestro escritor es adjudicado como esclavo al renegado griego Dalí Mamí. El hecho de haberse encontrado en su poder las cartas de recomendación de don Juan de Austria hizo creer que Cervantes era persona de elevada condición de la que se podría conseguir un buen rescate.

Los cinco años de cautiverio en Argel fueron una durísima prueba para Miguel de Cervantes, que en todo momento manifestó un fuerte espíritu que le permitió soportar con elevado ánimo toda suerte de penalidades y castigos, y un heroísmo realmente extraordinario. Vemos en él un hombre de acción, emprendedor y atrevido, que cuatro veces intentó fugarse arriesgadamente y que, para evitar más daños a sus compañeros de cautiverio, se hizo responsable de todo ante sus enemigos y prefirió la tortura a la delación. Gracias a las informaciones oficiales y al libro de fray Diego de Haedo *Topografía e historia general de Argel* (publicado en 1612), poseemos importantes noticias sobre el cautiverio de Cervantes que, en trasposición literaria, complementan admirablemente las comedias de nuestro escritor *Los tratos de Argel* y *Los baños de Argel* y el relato de la historia del cautivo que se interpola en la primera parte del *Quijote* (capítulos 39 a 41).

El primer intento de fuga fracasó porque el moro que debía guiar a Cervantes y a sus compañeros a Orán (plaza española), los abandonó en la primera jornada, y los cautivos se vieron precisados a regresar a Argel, donde fueron encadenados y vigilados más estrechamente que antes.

La madre de los Cervantes, mientras tanto, había reunido, a base de peticiones y de venderse parte de sus bienes, cierta cantidad de ducados, con la esperanza de rescatar a sus dos hijos. Pero cuando en 1577 se concertaron los tratos, resultó que la suma no era suficiente para rescatar a los dos, y Miguel prefirió que fuera puesto en libertad su hermano Rodrigo, el cual efectivamente regresó a España. Pero Rodrigo llevaba un plan trazado por Miguel a fin de libertarlo a él y a catorce o quince cautivos más. Se puso en ejecución el plan, y Cervantes se reunió con sus compañeros en una cueva oculta en espera de la llegada de una galera española que debía recogerles. Llegó, en efecto, la galera, y dos veces intentó acercarse a la playa, pero fue apresada y los cristianos escondidos en la cueva fueron descubiertos, debido a la traición de un cómplice renegado, llamado «el Dorador», que denunció todo el plan. Cervantes afirmó que él era el único organizador de la fuga y que sus compañeros habían procedido inducidos por él. El bey de Argel, Azán Bajá, lo encerró en su «baño» o presidio, cargado de cadenas, donde permaneció cinco meses.

El tercer intento de fuga lo trazó Cervantes con las esperanzas puestas en llegar por tierra hasta Orán. Envió allí un moro fiel con cartas para Martín de Córdoba, general de aquella plaza, exponiéndole el proyecto y pidiéndole guías. Pero el mensajero fue preso y empalado y las cartas leídas. En ellas se demostraba que quien lo había tramado todo era Cervantes, que fue condenado a recibir dos mil palos, sentencia que no se cumplió porque muchos fueron los que intercedieron por él.

El cuarto intento de fuga se verificó gracias a una suma en metálico que entregó un mercader valenciano que estaba en Argel, con la cual Cervantes compró una fragata capaz de llevar en ella a sesenta cautivos cristianos. Cuando todo estaba a punto, uno de los que debían ser liberados, el ex dominico doctor Juan Blanco de Paz, delató todo el plan a Azán Bajá, quien por toda recompensa le dio un escudo y una jarra de manteca, y trasladó a Cervantes a una prisión más rigurosa, en su mismo palacio, y decidió llevarlo a Constantinopla, donde la fuga se haría casi imposible. Cervantes, como las otras veces, asumió sobre sí toda la responsabilidad del intento.

En mayo de 1580 llegaron a Argel los padres Trinitarios fray Antonio de la Bella y fray Juan Gil. El primero partió con una expedición de rescatados; y el segundo, que sólo disponía de 300 escudos, intentó rescatar a Cervantes, por el cual se exigían 500. En vista de ello el fraile se dedicó a recolectar entre los mercaderes cristianos la cantidad que faltaba, que reunió cuando ya Cervantes estaba «con dos cadenas y un grillo» en una de las galeras en que Azán Bajá zarpaba para Constantinopla. Gracias a los 500 escudos, tan angustiosamente reunidos, Cervantes quedaba libre el 19 de septiembre de 1580. Se embarcó con otros cautivos rescatados, y el 24 de octubre llegó a España, por Denia, desde donde se trasladó a Valencia. En noviembre o diciembre estaba ya con su familia en Madrid.

Cervantes en España. Su boda. «La Galatea».

En mayo de 1581 Cervantes se trasladó a Portugal, donde estaba la corte de Felipe II, con el propósito de pretender algo con que organizar su vida y pagar las deudas que había contraído su familia para rescatarle. En Portugal recibió 50 ducados y se le encomendó una comisión secreta en Orán, sin duda por ver en él un hombre con profunda experiencia de las costumbres del norte de África. Realizada esta comisión, regresó por Lisboa, y ya estaba de nuevo en Madrid a fines de año. En febrero de 1582 solicita un empleo que había quedado vacante en Indias, pero fracasa en su pretensión.

En estos años Cervantes tiene relaciones amorosas con Ana Villafranca (o Franca) de Rojas, mujer de un tal Alonso Rodríguez, de la cual reconoció tener una hija que se llamó Isabel de Saavedra (aunque es posible que lo fuera de unos amores irregulares de Magdalena de Cervantes, hermana del escritor).

El 12 de diciembre de 1584 Miguel de Cervantes se casó en Esquivias con Catalina de Salazar y Palacios, joven que no llegaba a los veinte años y que aportó una pequeña dote.

Seguramente entre los años 1581 y 1583 escribió Cervantes su primera obra literaria de volumen y consideración, *La Galatea*, que se publicó en Alcalá de Henares en 1585. Hasta entonces sólo podía considerarse a Cervantes un mero aficionado a la poesía, que había publicado algunas composiciones en libros ajenos y en romanceros y cancioneros, que recogían producciones de diversos poetas.

La Galatea apareció dividida en seis libros y en calidad de «primera parte». Toda su vida prometió Cervantes su continuación, que jamás llegó a imprimirse. En el prólogo la obra es calificada de «égloga» y se insiste en la afición y gusto que Cervantes siempre ha tenido a la poesía. Se trata, de hecho, de una novela pastoril, género que había instaurado en España la *Diana* de Jorge de Montemayor. Después de sus experiencias de Lepanto y de Argel esperábamos de Cervantes otra cosa, algo más real, más personal y de mayor originalidad. Pero en nuestro escritor pesan todavía las lecturas hechas cuando fue soldado en Italia (son numerosas las influencias italianas en *La Galatea*), y, deseoso de olvidar sus recientes penalidades y enzarzado en problemas sentimentales (Ana Franca, Catalina de Salazar), transfigura la intimidad de sus confidencias en el ideal mundo pastoril. La prosa de *La Galatea* es bella, matizada y artificiosa; y sus numerosas poesías intercaladas, la mayoría de las cuales son lamentaciones amorosas, revelan el influjo de Garcilaso, Herrera y fray Luis de León, principalmente. Entre los muchos versos de *La Galatea,* por lo general discretos, hay momentos en que apuntan verdaderos aciertos. Gran interés para la historia literaria encierra el poema titulado «Canto de Calíope», inserto en el libro sexto de *La Galatea*, donde Cervantes celebra y enjuicia epigramáticamente un gran número de escritores de su tiempo.

Comisarías y encarcelamientos.

De 1587 a 1600 Cervantes fija su residencia en Sevilla, y se gana la vida ejerciendo el humilde oficio de comisario de abastos, al servicio del proveedor de las galeras reales y concretamente con destino a la expedición que Felipe II proyectaba enviar contra Inglaterra, lo que le obliga a recorrer gran parte de Andalucía con la desagradable misión de requisar cereales y aceite. Como es bien sabido, la Armada Invencible fue deshecha en agosto de 1588, terrible desastre en nuestra historia, que iniciaba su decadencia.

Cervantes, a sus veinticuatro años, había luchado como un

héroe en la batalla naval de Lepanto, uno de los momentos más gloriosos del poderío español. Con sus bríos y con su espada había contribuido al gran triunfo de las armas españolas. Ahora, a los cuarenta años, tras haber experimentado los dolores del cautiverio y con un grave y acuciante problema económico que resolver, Cervantes participaba también en la Armada Invencible, pero esta vez su intervención era no tan sólo humilde y desagradable sino la más alejada del heroísmo. Si la acción de Lepanto pudo crear en la mente del joven Cervantes la ilusión de que no habían muerto aquellos ideales fantásticos y fabulosos de los libros de caballerías, al llegar al año 1588 la triste realidad le había desengañado de tal suerte que iba reuniendo una serie de experiencias que más adelante irían a cristalizar en el *Quijote*. Pero no todas estas experiencias son del mismo carácter. En su calidad de comisario Cervantes había tenido que viajar por parte de España y visitar las más alejadas aldeas y se había puesto en contacto íntimo y directo con el pueblo: con palurdos ignorantes, con ricachones avaros, con mujeres hacendosas y hembras de rompe y rasga, con curas de aldea y con hidalgos de villorrio. Había tenido que hacer noche en ventas ruines e incómodas, en las que paraban toda suerte de caminantes, desde el noble señor y la dama principal, hasta el tramposo titiritero o el más vil castrador de puercos. Mundo variado y confuso que aparecerá maravillosamente retratado en el *Quijote* hasta en sus matices más sutiles y con sus notas más características.

En 1590 Cervantes presenta su brillante hoja de servicios a Felipe II con un memorial en el que solicita, otra vez, un empleo en las Indias. La negativa fue de una lacónica sequedad: «Busque por acá en qué se le haga merced», palabras que debieron de desilusionar amargamente a nuestro escritor, pero gracias a las cuales tenemos el *Quijote*, pues si Cervantes llega a establecerse en América seguramente no hubiera escrito su genial novela. Con el pretexto de que, ejerciendo su comisaría había vendido trescientas fanegas de trigo sin autorización un corregidor de Écija encarceló a Cervantes en Castro del Río (1592). Cervantes apeló y fue libertado. En 1594 obtuvo la comisión de cobrar atrasos de alcabalas y otros impuestos en el reino de Granada, y depositó lo recaudado en una casa de banco de Sevilla. Pero el banquero quebró, y Cervantes, que se vio imposibilitado de hacer efectivas las sumas recogidas, fue internado en la cárcel de Sevilla, donde pasó unos tres meses del año 1597. A ella se refiere Cervantes, sin duda, cuando dice que el *Quijote* fue engendrado en una cárcel. Allí debió de convivir con toda suerte de maleantes y de gente fuera de la ley, que retratará en el famoso patio de Monipodio del *Rinconete y Cortadillo*.

Cervantes en Valladolid: el asunto Ezpeleta y la publicación del «Quijote».

Hacia 1603 Cervantes traslada su hogar a Valladolid. Había muerto Ana Franca, y su hija Isabel de Saavedra pasó a vivir con la familia del escritor. En septiembre de 1604 obtiene el privilegio real para publicar el *Quijote*, que se editaría muy pronto. Pero aquel mismo año de la publicación de su obra maestra, una nueva desgracia cae sobre Cervantes. La noche del 27 de junio de 1605 es herido mortalmente por un desconocido, ante la puerta de la casa del escritor, el caballero navarro don Gaspar de Ezpeleta. El propio Cervantes acudió a auxiliarle, pero a los dos días un arbitrario juez, para favorecer a un escribano que tenía motivos para odiar a Ezpeleta y que por lo tanto quería desviar de sí toda sospecha, ordena la detención de todos los vecinos de la casa, entre ellos Cervantes y parte de su familia. El encarcelamiento debió de durar sólo un día; pero en las declaraciones del proceso sobre el caso queda suspecta la moralidad del hogar del escritor, en el cual entraban caballeros de noche y de día. Vivían con Cervantes su mujer, sus hermanas Andrea y Magdalena, Constanza, hija natural de Andrea, e Isabel, hija natural del escritor (o de su hermana Magdalena). En Valladolid las llamaban, despectivamente, «las Cervantas»; y en el proceso, entre otras cosas, se descubren amores irregulares de Isabel con un portugués. Entre tanto, el éxito del *Quijote* era tal que, mientras ocurría el desagradable caso Ezpeleta, los estudiantes de Valladolid celebraban regocijadas fiestas con personajes disfrazados de don Quijote y Sancho.

Cervantes en Madrid. Las «Novelas ejemplares».

En 1606 la corte se trasladaba de Valladolid a Madrid. Cervantes la siguió con su familia; allí cambió varias veces de residencia hasta establecerse definitivamente en la calle del León. Por entonces casó su hija Isabel; en 1609 y 1611 murieron sus hermanas Andrea y Magdalena, y la familia de Cervantes quedó reducida a su esposa y a su sobrina Constanza. En 1610 pretendió acompañar a su protector el Conde de Lemos a Nápoles, de donde había sido nombrado virrey, pero sus aspiraciones quedaron frustradas.

En sus vejeces la producción literaria de Cervantes se divulga con asiduidad. Desde que en 1585 había publicado *La Galatea* no había aparecido ningún libro suyo hasta veinte años después, cuando se imprimió la primera parte del *Quijote*. El éxito de este libro movió a Cervantes a publicar otros y a los editores a imprimirlos. En 1613 aparecen las *Novelas ejemplares;* en 1614 el *Viaje del Parnaso;* en 1615 la segunda parte del *Quijote* y las *Comedias y entremeses;* y en 1617, póstumamente, el *Persiles y Sigismunda*. O sea que la gran época de aparición de las obras de Cervantes, prescindiendo de la primera parte del *Quijote,* corresponde a la etapa que va de los 66 a los 68 años del escritor.

El tomo titulado *Novelas* ejemplares es, después del *Quijote,* el libro de Cervantes de interés más permanente. Tras el prólogo y la dedicatoria se publican las siguientes novelas:

> *La Gitanilla*
> *El amante liberal*
> *Rinconete y Cortadillo*
> *La española inglesa*
> *El licenciado Vidriera*
> *La fuerza de la sangre*

El celoso extremeño
La ilustre fregona
Las dos doncellas
La señora Cornelia
El casamiento engañoso
El coloquio de los perros

El casamiento engañoso constituye la introducción de *El coloquio de los perros,* al paso que las demás novelas son independientes entre sí. Las novelas *Rinconete y Cortadillo* y *El celoso extremeño* se han transmitido, independientemente de la edición de 1613, en un manuscrito (llamado de Porras de la Cámara) que ofrece notables variantes de redacción respecto al texto impreso y en el que figura otra novela, titulada *La tía fingida,* que una parte de la crítica se inclinó a atribuir a Cervantes, lo que detallados estudios sobre las características gramaticales de su prosa hacen infundado.

Hay que advertir que con la palabra «novela» Cervantes traducía la italiana *novella,* que significa narración breve imaginada, y que a nuestro escritor jamás se le ocurrió dar el nombre de novelas a sus narraciones largas, como *La Galatea,* el *Quijote* o el *Persiles y Sigismunda.* En otros países románicos estas narraciones largas recibieron nombres, como *roman,* en francés, y *romanzo,* en italiano, que las distinguían perfectamente de las breves, llamadas respectivamente *nouvelle* y *novella.* Pero en español fue imposible dar a aquéllas un nombre equivalente al de *roman* y *romanzo* por la sencilla razón que «romance» designaba el conocido tipo poético narrativo tradicional. Modernamente, no obstante, denominamos «novelas» a las narraciones largas (como *La Galatea,* el *Quijote,* el *Persiles*) y «novelas cortas» a las breves, como las que integran el libro de Cervantes de que ahora tratamos. Éste tenía el convencimiento de haber introducido este último género, pues en el prólogo afirmó lo siguiente: «Y soy el primero que he *novelado* en lengua castellana», ya que las anteriores novelas que habían aparecido en España eran traducciones del italiano.

Algunas de las *Novelas ejemplares* son de tipo italiano, aunque ello no supone imitación de determinado modelo preciso y todas sean de una auténtica originalidad. Son éstas *El amante liberal* (con notas personales extraídas de las andanzas de Cervantes por el Mediterráneo y su cautiverio), *La española inglesa* (en la que da una opaca pero interesante visión de Inglaterra, donde se sitúa parte del relato), *Las dos doncellas* y *La señora Cornelia* (de intriga un poco forzada, pero con agudos atisbos psicológicos y con certeras pinceladas de narrador) y *La fuerza de la sangre*, tal vez la mejor de las de este tipo, sobre todo por su magnífico principio, donde se describe el rapto de la protagonista con una acertada transición de estilo lento y reposado al rápido y tumultuoso, digno de parangonarse con las mejores páginas del *Quijote*. *La Gitanilla* es una de las novelas ejemplares más famosas, por su narración bien trabada, sus rasgos de pintoresquismo y por el acertado retrato de Preciosa, la protagonista. Pero tal vez haya mayor hondura en *El celoso extremeño*, excelente adaptación moderna del cuento del viejo celoso que guarda exageradamente a su joven y hermosa mujer, que acaba traicionándole; y en *La ilustre fregona*, perfecta por su medio, su lenguaje y la gracia y garbo de sus personajes. En *El licenciado Vidriera*, el asunto y la trama novelesca ceden ante la serie de agudezas, chistes y juegos de ingenio que Cervantes pone en boca del protagonista, un loco perfectamente observado y estudiado.

No cabe duda de que las más acertadas de las novelas ejemplares son el *Rinconete y Cortadillo* y *El coloquio de los perros*. La primera, sin acción continua pero con extraordinaria intensidad, parece una pieza de teatro. La mayor parte de sus episodios se desarrolla en el patio de Monipodio, centro del hampa sevillana, y por él desfilan hombres y mujeres impresionantes por su realismo, su desgarrada gracia, su miseria, su alegría, sus amores y sus delitos. El lenguaje es de una plasticidad insuperable. El *Rinconete y Cortadillo* se suele clasificar como novela picaresca, en lo que hay parte de razón, pero faltan en ella el típico vagabundeo y cambio de amos de los protagonistas. En este sentido la que realmente parece una novela picaresca es *El coloquio de los perros*. En ella dos perros, Cipión y Berganza, son portentosamente dotados del poder de hablar durante una noche y la emplean en contarse sus vidas. El diálogo es una verdadera obra maestra, por su fina observación, por los tan diversos trances que en él se relatan, por la aguda crítica de la sociedad y de los hombres e incluso por lo que podríamos llamar la «psicología» de los dos interlocutores: Cipión, sesudo, mesurado, discreto y reflexivo, siempre con máximas y consejos a punto y con citas de sabios de la antigüedad; Berganza, parlanchín, desordenado en su divertida y enjundiosa narración, bonachón y gracioso, que relata sus desventuras con una propiedad y un donaire admirables.

El «Viaje del Parnaso». Cervantes poeta.

El *Viaje del Parnaso* es un poema en tercetos, inspirado, como el mismo Cervantes confiesa, en cierto *Viaggio in Parnaso* del escritor italiano Cesare Caporale, aunque en el desarrollo del tema ambas obras difieren bastante. El poema de Cervantes, que dista mucho de tener un valor literario intrínseco, es interesante por la información y juicios que nos da sobre escritores de la época y los datos personales que nos brinda. Su apéndice en prosa, titulado «Adjunta al Parnaso», tiene tal vez mayor interés, porque Cervantes habla de sus obras literarias, algunas de ellas perdidas, y se defiende contra ciertas críticas de que fue objeto el *Quijote*.

En el *Viaje del Parnaso* hace Cervantes una afirmación cuyo alcance tal vez se ha desmesurado:

> Yo, que siempre trabajo y me desvelo
> por parecer que tengo de poeta
> la gracia que no quiso darme el cielo...

Aunque Cervantes ha escrito estos versos en tono humorístico, no deja de haber en ellos cierta amargura de quien, sabiéndose un gran prosista, comprende que no puede compararse con los grandes poetas de su tiempo. Ya vimos que inició su carrera literaria con poesías de circunstancias; también tendrán este carácter su elegía en tercetos al Cardenal Espinosa y varios sonetos y composiciones breves suyas que aparecerán en los preliminares de libros ajenos, en elogio de sus autores (como en el *Romancero* y el *Jardín espiritual* de Pedro Padilla, en *La Austríada* de Juan Rufo, en el *Cancionero* de López Maldonado, en la *Tercera parte de las rimas* de Lope de Vega y hasta en un libro tan insospechado como es el *Tratado de todas las enfermedades de los riñones* del médico Francisco Díaz). Es digno de tenerse en cuenta que esta costumbre de publicar poesías laudatorias al principio de libros ajenos es satirizada con gracia, y sin duda también con mala intención, por el propio Cervantes en los preliminares de la primera parte del *Quijote.*

En un manuscrito de principios del siglo XVII se conservan dos canciones sobre la Armada Invencible, que una mano distinta y más moderna que la del copista ha atribuido a Cervantes. Es posible que estas dos canciones, de solemne empaque y que recuerdan la de Herrera sobre la victoria de Lepanto, sean de nuestro escritor. Más suspecto es el caso de la famosa *Epístola a Mateo Vázquez,* en tercetos y en la que en primera persona se narran la acción de Lepanto, la prisión de la galera *Sol* y el cautiverio. Esta epístola se publicó en una revista en el año 1863 como procedente de un manuscrito cuyo paradero se ignora, lo que suscita fundadas dudas respecto a su autenticidad, sobre todo si tenemos en cuenta que se dio a conocer en los tiempos en que se polemizaba sobre el fraude cervantino llamado *El Buscapié.*

La poesía grave de Cervantes hay que buscarla principalmente en las composiciones intercaladas en *La Galatea* y en algunas del *Quijote,* como la Canción de Grisóstomo. En esta dirección nuestro escritor aparece como un poeta discreto que, entre versos anodinos y poco personales, tiene momentos de evidente belleza y de gran decoro. Pero hay tantos poetas españoles buenos en el paso del siglo XVI al XVII que Cervantes se nos empequeñece en cuanto lo comparamos con los grandes líricos de su tiempo. Destácanse, no obstante, los sonetos «¿Quién dejará del verde prado umbroso?» (inserto en *La*

Galatea) y «Mar sesgo, viento largo, estrella clara» (en el *Persiles*).

Mayor es la dimensión de Cervantes como poeta si reparamos en algunas de sus composiciones de tipo tradicional o en las burlescas. Intercaladas en algunas de sus *Novelas ejemplares* y en su teatro aparecen de vez en cuando cancioncillas en las que ha sabido reproducir con verdadero acierto la gracia de lo popular. En *Pedro de Urdemalas*, por ejemplo, se canta un baile con el siguiente estribillo:

> Bailan las gitanas,
> míralas el rey;
> la reina, con celos,
> mándalas prender...

En *La Gitanilla, Rinconete y Cortadillo, El celoso extremeño* y *La ilustre fregona* se insertan romances y canciones de verdadera calidad y de desenvuelta gracia.

Las poesías burlescas de Cervantes son siempre muy personales y divertidas, y no raramente su gracia estriba en la ingeniosa repetición de rimas de asonancia grotesca o cómica. Uno de sus mayores aciertos, en este sentido, es la canción que cantan el sacristán y el barbero al final del entremés *La cueva de Salamanca*, en la que la consonancia en *-anca* hace aparecer conceptos graciosamente disparatados. En el *Viaje del Parnaso* se muestra satisfecho de una de sus poesías burlescas:

> Yo el soneto compuse que así empieza,
> por honra principal de mis escritos:
> «Voto a Dios, que me espanta esta grandeza».

Se trata, en efecto, de uno de los sonetos más conocidos de nuestra literatura clásica, y que fue tan celebrado que circulaba en numerosas copias manuscritas. Lo escribió con motivo del suntuoso túmulo que se hizo en Sevilla en 1598 para celebrar las honras fúnebres de Felipe II, y pinta, en términos achulados y desgarrados, la admiración que ello produjo a un soldado y a un valentón.

33

«Comedias y entremeses».

En 1615 publicó Cervantes un tomo titulado *Ocho comedias y ocho entremeses nuevos, nunca representados.* El éxito del *Quijote* permitía a nuestro escritor dar al público estas obras dramáticas que había compuesto en diferentes épocas de su vida literaria.

Las comedias son las siguientes:

El gallardo español
La casa de los celos
Los baños de Argel
El rufián dichoso
La gran sultana doña Catalina de Oviedo
El laberinto de amor
La entretenida
Pedro de Urdemalas

Los entremeses son:

El juez de los divorcios
El rufián viudo llamado Trampagos
La elección de los alcaldes de Daganzo
La guarda cuidadosa
El vizcaíno fingido
El retablo de las maravillas
La cueva de Salamanca
El viejo celoso

La producción de Cervantes como autor teatral tuvo una primera etapa, aproximadamente entre los años 1582 y 1587, que se define dentro del amplio panorama de la escena española por su carácter de transición. Entonces estrenó varias obras «con general y gustoso aplauso de los oyentes», según él mismo afirma, e intentó dar más lógica y racional estructura a la tragedia de tipo clásico, allegándose al estilo de Juan de la

Cueva, Cristóbal de Virués y Lupercio Leonardo de Argensola. Estos intentos de teatro de empaque, que hubieran podido conducir a una tragedia similar a la neoclásica francesa, se derrumbaron ante el ímpetu de Lope de Vega, que introdujo en la escena española una nueva fórmula que fue de general agrado y que se aceptó sin reservas. El mismo Cervantes da fe de este hecho al escribir, no sin cierta melancolía: «dejé la pluma y las comedias, y entró luego el monstruo de naturaleza, el gran Lope de Vega, y alzóse con la monarquía cómica» (prólogo de *Comedias y entremeses*).

De la primera época del teatro de Cervantes solamente poseemos dos obras (que no se incluyeron en el tomo de 1615): *El trato de Argel*, que ofrece impresionantes datos del cautiverio, y *El cerco de Numancia*, hábil síntesis de los datos que sobre este heroico hecho han conservado los historiadores clásicos, leyendas de carácter tradicional (como es la escena final, en la cual el último superviviente de la ciudad, un muchacho, se suicida tirándose desde una torre cuando entran los romanos) y abstracciones o figuras morales (España, el Duero, la Guerra, la Fama). Ello da a la tragedia una real intensidad y un gran valor emotivo y patriótico (es de notar que su representación enardeció el espíritu de los sitiados en Zaragoza por los ejércitos de Napoleón).

Tres de las comedias publicadas en 1615 — *El gallardo español, Los baños de Argel* y *La gran sultana* — desarrollan su trama en ambiente morisco o turco, con notas procedentes de la experiencia de Cervantes como cautivo. En los *Orlandos* de Boiardo y de Ariosto se inspiró para *La casa de los celos* y *El laberinto de amor*, comedias algo deslavazadas y con escenas de tétrico efectismo. Más personales y acomodadas al ingenio de Cervantes son *La entretenida, Pedro de Urdemalas*, ésta de tipo picaresco, y *El rufián dichoso*, curiosa y algo desconcertante comedia de santos, que tiene una primera jornada de gran sabor y colorido, acentuados por la jerga hablada por sus personajes.

El mayor de los aciertos del teatro cervantino se halla, sin duda, en sus ocho entremeses, breves cuadros de vida española, con trama tenue y poco consistente, pero de variada matización en cuanto a los personajes, su habla y su viveza. Todo un mundillo de tramposos, vividores, sablistas, casadas casquivanas, criadas enredonas y maridos estúpidos desfila en estas ocho piezas en las que Cervantes perfecciona el estilo de los pasos de Lope de Rueda, por quien sentía gran admiración. Cervantes logra que un entremés como *El juez de los divorcios* se aguante en escena sin que ocurra absolutamente nada, sólo a base de dejar hablar a unas cuantas parejas de matrimonios desavenidos. *El vizcaíno fingido* no es más que la escenificación de un vulgar timo o estafa, pero el lenguaje del personaje que se hace pasar por vizcaíno es de gran comicidad. *La cueva de Salamanca* es un entremés de acción rápida y muy bien llevada, que soluciona el conflicto con una divertida burla, y tiene, como *El viejo celoso,* un tono desenvuelto y liviano. El más conocido de los entremeses de Cervantes es *El retablo de las maravillas,* tomado de un viejo motivo folklórico y trazado con hábil sentido de la escenografía.

Se atribuyen a Cervantes algunos entremeses que no se publicaron en el tomo aparecido en 1615, y entre ellos los que tienen más posibilidades de haber sido escritos por nuestro autor son los titulados *Los habladores* y *El hospital de los podridos.*

Muerte de Cervantes. El «Persiles y Sigismunda».

El 23 de abril de 1616 murió Miguel de Cervantes en su casa de la calle del León de Madrid. En la misma fecha moría en Stratford William Shakespeare; en la misma fecha, pero no el mismo día, ya que no habiendo adoptado todavía Inglaterra la reforma gregoriana del calendario, el 23 de abril de allí corresponde a nuestro de 3 de mayo. Cuatro días antes de morir redactó Cervantes la dedicatoria al Conde de Lemos de su obra *Los trabajos de Persiles y Sigismunda,* impresionante página que es como sigue:

A DON PEDRO FERNÁNDEZ DE CASTRO

Conde de Lemos, de Andrade, de Villalha; marqués de Sarria, gentil-hombre de la Cámara de Su Majestad, presidente del Consejo Supremo de Italia, comendador de la Encomienda de la Zarza, de la Orden de Alcántara

Aquellas coplas antiguas, que fueron en su tiempo celebradas, que comienzan:

> Puesto ya el pie en el estribo,

quisiera yo no vinieran tan a pelo en esta mi epístola, porque casi con las mismas palabras las puedo comenzar, diciendo:

> Puesto ya el pie en el estribo,
> con las ansias de la muerte,
> gran señor, ésta te escribo.

Ayer me dieron la extremaunción, y hoy escribo ésta; el tiempo es breve, las ansias crecen, las esperanzas menguan, y, con todo eso, llevo la vida sobre el deseo que tengo de vivir, y quisiera yo ponerle coto hasta besar los pies de vuesa excelencia: que podría ser fuese tanto el contenido de ver a vuesa excelencia bueno en España, que me volviese a dar la vida. Pero si está decretado que la haya de perder, cúmplase la voluntad de los cielos, y, por lo menos, sepa vuesa excelencia este mi deseo, y sepa que tuvo en mí un tan aficionado criado de servirle, que quiso pasar aún más allá de la muerte mostrando su intención. Con todo esto, como en profecía, me alegro de la llegada de vuesa excelencia, regocíjome de verle señalar con el dedo, y realégrome de que salieron verdaderas mis esperanzas, dilatadas en la fama de las bondades de vuesa excelencia. Todavía me quedan en el alma ciertas reliquias y asomos de las *Semanas del jardín* y del *famoso Bernardo*. Si a dicha, por buena ventura mía, que ya no sería ventura, sino milagro, me diese el cielo vida, las verá, y con ellas fin de *La Galatea*, de quien sé está aficionado vuesa excelencia; y con estas obras, continuando mi deseo, guarde Dios a vuesa excelencia como puede. De Madrid, a diez y nueve de abril de mil seiscientos diez y seis años.

Criado de vuesa excelencia,

Miguel de Cervantes

Fue enterrado en el convento de las Trinitarias Descalzas de la calle de Cantarranas (hoy Lope de Vega), donde sin duda reposan todavía sus restos sin que haya posibilidad de identificarlos.

Los trabajos de Persiles y Sigismunda fueron publicados con privilegio a favor de la viuda de Cervantes, doña Catalina de

Salazar, en 1617. Aunque no se puede asegurar en qué fechas redactó Cervantes este libro, es evidente que trabajaba en él en los últimos momentos de su vida, y resulta en realidad sorprendente que lo fuera escribiendo con simultaneidad a la segunda parte del *Quijote*, ya que no se pueden imaginar dos novelas más distintas en todos los aspectos; y ello es una prueba de que el ingenio de Cervantes y su experiencia de escritor alcanzaron su punto más elevado en su madurez y ancianidad. Son *Los trabajos de Persiles y Sigismunda* una novela del género que se suele denominar bizantino, pues en cuanto a su trama, sus complicadas peripecias, sus navegaciones, naufragios, piraterías, raptos y vagabundeos se halla en la línea de las antiguas novelas de aventuras griegas y bizantinas que el siglo XVI había vuelto a poner de moda. En esta «historia septentrional» (así se subtitula el *Persiles*) Cervantes dice que se ha atrevido a competir con Heliodoro, afirmación que en su tiempo tenía un sentido y un alcance, y lo sigue teniendo en un concreto aspecto de la concepción de la novela renacentista, pero que considerada desde nuestros días y nuestros gustos no deja de ser chocante, pues ahora sólo leen a Heliodoro los especialistas, y todo el mundo, en todas las lenguas, vibra y se compenetra con el *Quijote*.

Ya veremos más adelante que en el *Quijote* nunca ocurre nada extraordinario (sólo lo podrían parecer los capítulos en que aparecen los bandoleros catalanes y el combate naval frente a Barcelona, pero son datos tomados de la realidad), transcurre en conocidísimas tierras españolas, los personajes que aparecen son de ínfima o mediana condición social, y por esto adquieren cierto relieve los Duques y don Antonio Moreno, únicos privilegiados de la novela, y en la trama de ésta no hay ni una sola concesión al azar o a la casualidad. El *Persiles* es el reverso de la medalla: las azarosas peregrinaciones de sus dos protagonistas dependen exclusivamente de lo fortuito y del acaso, transcurren en gran parte en exóticos países hiperbóreos que Cervantes sólo conocía a través de relatos más o menos fantásticos y por la consulta de cartas geográficas. Persiles y Sigismunda, que viajan infatigablemente aparentando ser hermanos y bajo los nombres supuestos de Periandro y Auristela, son dos bellísimos príncipes, y la trama, retorcida y complicada, queda a veces suspensa cuando un recién llegado cuenta su historia, por lo general fantástica o maravillosa, y se reanuda con acierto, pero también con sorpresa. En el *Quijote* Cervantes recoge la experiencia de los recuerdos de su vida; en el *Persiles* recoge el fruto de sus lecturas de libros. Es posible que en esta obra nuestro escritor quiera simbolizar la historia de la humanidad y que lleve una clara intención contrarreformista, y por esto su final y su verdad se hallan en Roma, donde finaliza la narración.

Pero aparte de su sentido y de sus intenciones el *Persiles* atrae por el arbitrario mundo de ensueño y de fantasía en el que sumerge al lector, por su poético exotismo y por la irrealidad de los seres que cruzan y entrecruzan la novela. Algunos de los episodios intercalados son de gran belleza y de sorprendente misterio. Inolvidable es la figura de Rosamunda, voz de la maldad y de la lascivia que hace estremecer; atemorizador es el episodio del licántropo, el hombre que se transforma en lobo, y admirables un sinfín de detalles y de trances. Novela esencialmente poética, está escrita en una prosa de limpia belleza; y los largos parlamentos de sus personajes, las descripciones de paisajes irreales y la narración de la complicada peripecia se exponen en un estilo elevado que a veces alcanza solemnidad retórica, salvada siempre por la gran mesura del escritor y por el estudio lírico que domina en toda la obra.

El retrato de Cervantes.

Cervantes afirma en el prólogo de sus *Novelas ejemplares* que Juan de Jáuregui, conocido pintor y poeta, había pintado su retrato. La Real Academia Española posee un discutido retrato de un hombre con golilla, en cuya parte superior se lee *D. Miguel de Ceruantes Saauedra* y en la inferior *Iuan de Iaurigui pinxit año 1600,* sobre cuya autenticidad se han emitido fundadas dudas. En la colección del Marqués de Casa Torres existe el retrato de otro hombre, también con golilla, que se ha supuesto que es el que pintó Juan de Jáuregui porque corresponde con la descripción que de éste da Cervantes en el prólogo aludido.

Lo cierto es que tal descripción nos da una idea muy clara del rostro de Miguel de Cervantes. Es como sigue:

Éste que veis aquí, de rostro aguileño, de cabello castaño, frente lisa y desembarazada, de alegres ojos y de nariz corva, aunque bien proporcionada; las barbas de plata, que no ha veinte años que fueron de oro; los bigotes grandes, la boca pequeña, los dientes, ni menudos ni crecidos, porque no tiene sino seis, y ésos mal acondicionados y peor puestos, porque no tienen correspondencia los unos con los otros; el cuerpo entre dos extremos, ni grande ni pequeño; la color viva, antes blanca que morena; algo cargado de espaldas y no muy ligero de pies. Éste digo que es el rostro del autor de *La Galatea* y de *Don Quijote de la Mancha*, y del que hizo el *Viaje del Parnaso*, a imitación del de César Caporal Perusino, y otras obras que andan por ahí descarriadas y quizá sin el nombre de su dueño; llámase comúnmente MIGUEL DE CERVANTES SAAVEDRA. Fue soldado muchos años, y cinco y medio cautivo, donde aprendió a tener paciencia en las adversidades. Perdió en la batalla naval de Lepanto la mano izquierda de un arcabuzazo; herida que, aunque parece fea, él la tiene por hermosa, por haberla cobrado en la más memorable y alta ocasión que vieron los pasados siglos ni esperan ver los venideros, militando debajo de las vencedoras banderas del hijo del rayo de la guerra, Carlos V, de felice memoria.

II

EL «QUIJOTE»

Publicación de la primera parte del «Quijote».

La primera parte de la novela, dedicada al Duque de Béjar, se publicó con el título de *El ingenioso hidalgo don Quijote de la Mancha,* y la segunda y última, dedicada al Conde de Lemos, apareció en 1615 con el de *El ingenioso caballero don Quijote de la Mancha.* Por lo que a la primera parte, o primer tomo, se refiere, la edición más antigua de las conocidas fue impresa en Madrid por Juan de la Cuesta en 1605 (con privilegio real otorgado en septiembre de 1604, y tasa y testimonio de las erratas datados en diciembre de este mismo año). Se ha supuesto la existencia de una anterior edición, de 1604, de la que no queda rastro. Los argumentos en que se apoya tal suposición (unos versos de *La pícara Justina,* obra impresa en 1605 con privilegio de 1604; una carta de Lope de Vega a un desconocido del 4 de agosto de 1604, a que nos referimos más adelante; y una anécdota que se halla en la obra del morisco Juan Pérez, *Contradicción de los catorce artículos de la fe cristiana,* escrita en 1637) no carecen de lógica ni de fundamento.

De todos modos, lo seguro es que la primera parte de la novela ya estaba acabada en 1604, cuando Cervantes residía en Valladolid. Es difícil determinar cuándo empezó a redactarla, aunque algunos indicios, no del todo decisivos, hacen creer que la comenzó poco después de 1591 y que aprovechó episodios que ya había escrito en 1589.

Preliminares de la primera parte.

La primera parte del *Quijote,* tras la tasa, el testimonio de las erratas y el privilegio de rigor, se abre con una breve dedicatoria a don Alonso Diego López de Zúñiga y Sotomayor, Duque de Béjar (muerto en 1619), personaje que, al parecer, no se interesó en absoluto ni por el *Quijote* ni por Cervantes. Éste dista mucho de ser original, ya que frases enteras de esta dedicatoria son un auténtico calco de las que Fernando de Herrera escribió en la dedicatoria al Marqués de Ayamonte en su edición anotada de las *Poesías de Garcilaso* (1580), plagio que no deja de sorprender en la primera página de uno de los libros más originales que se han escrito. El hecho, de todos modos, no era insólito: la dedicatoria que Johanot Martorell puso al frente de su libro de caballerías *Tirante el Blanco,* dirigida al príncipe don Fernando de Portugal, está copiada al pie de la letra de la dedicatoria de *Los doce trabajos de Hércules* de don Enrique de Villena.

A la dedicatoria sigue un interesantísimo prólogo en el que se puntualizan algunos aspectos de la intención del autor («todo él [el libro] es una invectiva contra los libros de caballerías») y se hacen una serie de alusiones malévolas a Lope de Vega.

Era costumbre que los autores de libros pidieran a escritores de fama o a personas encumbradas poesías laudatorias para poner al principio de la obra. Cervantes satiriza cómicamente tal costumbre insertando, a continuación del prólogo, una serie de poesías burlescas firmadas por fabulosos personajes de los mismos libros de caballerías que se propone parodiar. Y así hallamos sonetos firmados por Amadís de Gaula, Belianís de Grecia, Orlando furioso, el Caballero del Febo, etc., décimas de Urganda la Desconocida, maga protectora de Amadís, y otras poesías en elogio de don Quijote que se cierran con un gracioso diálogo entre Babieca, caballo del Cid, y Rocinante, caballo de don Quijote. De esta suerte el lector de principios del siglo XVII advertía, apenas había abierto el libro, que tenía entre manos una obra de declarada intención satírica y paródica.

Las tres salidas de don Quijote.

La acción principal del *Quijote* está constituida por la narración de tres viajes por la parte oriental de España (la Mancha, Aragón y Cataluña) realizados por el héroe del relato, el cual pocas veces permanece quieto en el mismo lugar. Es, pues, una novela itinerante, como ocurre en algunos libros de caballerías y en la picaresca. No hay en el *Quijote* una trama propiamente dicha, sino un constante sucederse de episodios, por lo general desvinculados el uno del otro, pero fuerte y hábilmente organizados alrededor del héroe, que vaga sin un objetivo geográfico bien precisado en busca de acontecimientos y lances que el azar le pondrá en su camino. Tres veces don Quijote sale de su aldea en busca de aventuras y tres veces regresa a ella. Cada uno de estos viajes, que reciben el nombre de *salidas,* tiene una estructura, unas características y un itinerario propios. Las dos primeras salidas se narran en la primera parte del *Quijote* y la tercera en la segunda. Analizaremos la novela de acuerdo con estas tres salidas.

PRIMERA SALIDA DE DON QUIJOTE

(Primera parte, capítulos 1 a 6)

Impresión y vaguedad en el nombre y patria del protagonista.

La novela se inicia con una descripción de las costumbres y estado del protagonista, hidalgo de unos cincuenta años y de mediana posición, que consumía sus menguadas rentas en la compra de libros de caballerías cuya lectura le entusiasmó de tal modo que le llevó a la locura. Cervantes, tan preciso y detallista en los puntos esenciales de la narración y en los matices de verdadera eficacia novelesca, tiene un especial empeño en rodear de cierta imprecisión o vaguedad algo que a primera vista podría parecer capital en el relato: el nombre de la aldea en que vivía el hidalgo y el apellido real de éste. El escritor finge, en los capítulos referentes a esta primera salida y en los dos iniciales de la segunda, que está redactando una historia verdadera, basada en otros autores («Autores hay que dicen que la primera aventura que le avino fue la del Puerto Lápice...», I, 2) y en «los anales de la Mancha» (I, 2), fuentes ficticias que permiten a Cervantes satirizar ciertos recursos frecuentes en los libros de caballerías. Pero ya veremos que más adelante intensificará este matiz más intencionadamente con la invención de Cide Hamete Benengeli. Gracias al recurso de las fingidas fuentes de su novela (que, no lo olvidemos, Cervantes presenta como «historia»), al empezar la narración y tratar del nombre del protagonista, puede escribir: «Quieren decir que tenía el nombre de Quijada, o Quesada, que en esto hay alguna diferencia en *los autores* que deste caso *escriben* aunque por conjeturas verosímiles se deje entender que se llamaba Quejana. Pero esto importa poco a nuestro cuento...» Y más adelante, en este mismo primer capítulo, cuando el protagonista se ha bautizado a sí mismo con el nombre de don Quijote, Cervantes comenta: «de donde, como queda dicho, tomaron ocasión los *autores* desta *tan verdadera historia* que, sin duda, se debía de llamar Quijada, y no Quesada, como otros quisieron decir». Hay en todo ello una clara ironía y un burlesco remedo de las disquisiciones eruditas de los historiadores de verdad. La imprecisión en el apellido del héroe se mantendrá en otros momentos de la novela: el labrador Pedro Alonso le llamará «Señor Quijana» (I, 5); y al final de todo, cuando recuperará la razón, afirmará categóricamente ser «Alonso Quijano, a quien mis costumbres me dieron renombre de Bueno» (II, 74).

Todos los personajes que figuran en el *Quijote* (con la excepción de la mujer de Sancho Panza) aparecen denominados inequívocamente: sólo el nombre del protagonista queda envuelto en la imprecisión. Ello no puede deberse a descuido ni a negligencia de Cervantes, ya que él mismo, como acabamos de ver, comenta el hecho. Por otra parte, la geografía por la que transcurre el *Quijote* es también precisa, tanto por lo que se refiere a pequeñas aldeas y lugarejos como a una gran ciudad. Pues bien, esta precisión falta, cabalmente, siempre que se hace referencia al lugar donde habían nacido don Quijote y Sancho y desde donde aquél emprende sus aventuras. El *Quijote* empieza con aquéllas tan conocidas palabras: «En un lugar de la Mancha, de cuyo nombre no quiero acordarme...» En ellas quiso ver la crítica del siglo XIX cierto resquemor de Cervantes contra algún pueblo de la Mancha (concretamente Argamasilla de Alba) por haberle sobrevenido desgracias en él. Obsérvese que, si tal interpretación se pudiera dar como cierta, se podría objetar que poco le hubiera costado a Cervantes situar la patria de don Quijote en una aldea que no le hubiese sido antipática ni de desagradable recuerdo. La verdad es que las palabras «En un lugar de la Mancha» constituyen un octosílabo que figura en el romance titulado *El amante apaleado,* verso que debería tener cierta popularidad; y que la fórmula «de cuyo nombre no quiero acordarme» es propia del comienzo de un cuento popular (don Juan Manuel inicia un apólogo del *Conde Lucanor* así: «En una tierra de que non me acuerdo el nombre había un rey...»). Téngase en cuenta, además, que en la lengua de Cervantes el verbo «querer» a veces tiene un mero valor auxiliar, y así «no quiero acordarme» significa simplemente «no me acuerdo», del mismo modo que en la frase antes citada, «quieren decir que tenía el nombre de Quijada...», equivale a: «dicen que tenía el nombre de Quijada...».

La misma vaguedad consciente que hallábamos en el apellido de don Quijote se encuentra, pues, en la determinación del «lugar de la Mancha» donde había nacido y desde donde emprenderá sus aventuras. En este último aspecto existe también un matiz que no debe ser olvidado, pues constituye el primer palmetazo a los libros de caballerías, que solían iniciarse con pompa y solemnidad y situando la imaginaria acción en tierras lejanas y extrañas y en imperios exóticos o fabulosos. El *Quijote* no empieza ni transcurre ni en Persia, ni en Constantinopla, ni en la Pequeña Bretaña, ni en Gaula, ni en el Imperio de Trapisonda, sino, llana y sencillamente, «en un lugar de la Mancha».

Los libros de caballerías hacen enloquecer a don Quijote.

Así, pues, de buenas a primeras nos hallamos en una anónima aldea de la Mancha, lugar de vivir monótono y apacible, donde jamás ocurre nada extraordinario. En ella habita, como en todas las aldeas castellanas, un hidalgo de mediana condición, sólo ocupado en cazar y en administrar sus bienes, el cual «los ratos que estaba ocioso — que eran los más del año — se daba a leer libros de caballerías». Para adquirirlos había malvendido algunas de sus tierras; y, sumido en su lectura, llegó a olvidarse de la caza e incluso de la administración de su hacienda, de suerte que «se le pasaban las noches leyendo de claro en claro, y los días de turbio en turbio; y así, del poco dormir y del mucho leer se le secó el cerebro, de manera que vino a perder el juicio».

La locura lleva a este hidalgo manchego a dos conclusiones falsas:

1.ª Que todo cuanto había leído en aquellos fabulosos y disparatados libros de caballerías era verdad histórica y fiel narración de hechos que en realidad ocurrieron y de hazañas que llevaron a término auténticos caballeros en tiempo antiguo.

2.ª Que en su época (principios del siglo XVII) era posible resucitar la vida caballeresca de antaño y la fabulosa de los libros de caballerías en defensa de los ideales medievales de justicia y equidad.

Y como consecuencia de estas dos conclusiones, el hidalgo manchego decide convertirse en caballero andante y salir por el mundo en busca de aventuras.

Fijémonos bien en que la locura de don Quijote no es consecuencia de ningún desengaño ni de ningún desdén amoroso, ni puede tener su punto de arranque en ningún lance de armas ni de amor, ya que el hidalgo vivía tranquilo y sosegado en su lugar de la Mancha. Ello diferencia fundamentalmente la locura de don Quijote de la del *Orlando furioso* de Ariosto, producto de los desdenes de Angélica la Bella. Lo esencial de la

46

locura de don Quijote es que nace en los libros, frente a la letra impresa. Se trata de una enfermedad mental producida por la literatura, concretamente por un género literario: los libros de caballerías.

Aspecto físico del hidalgo «ingenioso».

En el primer capítulo del *Quijote* y en otros diversos momentos de la novela se hace la descripción física del protagonista: «de complexión recia, seco de carnes, enjuto de rostro..., alto de cuerpo, estirado y avellanado de miembros, entrecano, la nariz aguileña y algo corva, de bigotes grandes, negros y caídos». Este aspecto no es arbitrario, pues los rasgos más salientes del físico de don Quijote corresponden de un modo evidentemente no casual con las características que en la obra del doctor Huarte de San Juan, *Examen de ingenios* (publicada en 1575) se dan al hombre de temperamento «caliente y seco», que «tiene muy pocas carnes, duras y ásperas, hechas de nervios y murecillos [o sea «músculos»], y las venas muy anchas... el color del cuero... es moreno, tostado, verdinegro y cenizoso; la voz... abultada y un poco áspera...». Tales hombres, afirma Huarte de San Juan, son ricos en inteligencia y en imaginación, de carácter colérico y melancólico y son propensos a manías, notas todas ellas que efectivamente encontramos en don Quijote. Y si tenemos en cuenta que para Huarte el *ingenio* es algo así como la posesión de facultades intelectivas, que en un momento determinado afirma que difícilmente se encuentra «hombre de muy subido ingenio que no pique algo en manía, que es una destemplanza caliente y seca del cerebro», y que su obra se titula, precisamente, *Examen de ingenios,* tal vez nos acercaremos a la explicación del adjetivo que figura en el título de nuestra novela. «El *ingenioso hidalgo*...». Por este camino tal vez llegaría a ser lícito interpretar este concepto en nuestra lengua actual con una expresión cercana a la de «el *desequilibrado hidalgo*...»; pero ello distaría mucho de ser exacto, ya que *ingenioso* también significaba, para Cervantes, hombre de feliz entendimiento natural, sutil, inventivo.

47

La armadura de don Quijote.

Decidido a hacerse caballero andante el hidalgo manchego limpia y aderaza lo mejor posible unas viejas armas que tenía en su casa y que habían sido de sus bisabuelos. Este detalle, que al lector actual puede parecer insignificante o marginal, tiene su importancia, ya que don Quijote, a principios del siglo XVII, vagará por los caminos de España revestido de una armadura de finales del siglo XV (época de sus bisabuelos), lo que hará de él un arcaísmo viviente que producirá la estupefacción o la risa de sus contemporáneos, súbditos de Felipe III que se encontrarán frente a un ser vestido como un caballero de los tiempos de la guerra de Granada, sorpresa similar a la que nos produciría a nosotros toparnos con un personaje disfrazado de mariscal del tiempo de Napoleón. El aspecto grotesco de don Quijote se acrecentará extraordinariamente cuando cubra su cabeza con una bacía de barbero de latón, adminículo que hoy ya no nos es familiar, pero que hasta hace poco era vulgar y corriente y que por fuerza tenía que resultar chocante usado como tocado.

Rocinante.

El hidalgo manchego toma como montura un viejo rocín de su propiedad, al que da el nombre de Rocinante por parecerle «alto, sonoro y significativo». Este caballo escuálido y menguado corredor, tan poco apropiado para empresas guerreras, también provocará la risa de cuantos lo vean convertido en un remedo de corcel de caballero.

El nombre «Quijote».

Ocho días dice Cervantes que pasó el hidalgo manchego en imaginar el nombre que se pondría a sí mismo, y tras esta larga meditación decidió llamarse «don Quijote de la Mancha». Se antepone, pues, la partícula honorífica «don», que en aquel tiempo sólo podían usar personas de cierta categoría (el propio autor no tenía derecho a ella y jamás se le ocurrió llamarse «don» Miguel de Cervantes) y que era ocasión de burlas o de reprimendas cuando alguien, por presunción, se la ponía irregularmente. El nombre «Quijote» es también un acierto de comicidad, pues mantiene la raíz del apellido del hidalgo (Quijada o Quijano) y lo desfigura con el sufijo -ote, que en castellano siempre ha tenido un claro matiz ridículo (como se advierte en los consonantes de los versos que escribe el protagonista en Sierra Morena, en los que su nombre rima con «estricote», «pipote», «azote», «cogote», etc., I, 26); y al propio tiempo «quijote» es el nombre de la pieza de la armadura que cubre el muslo (voz procedente del francés *cuissot* o del catalán *cuixot*, «muslera»). Pero en el espíritu del hidalgo manchego, al buscarse un nombre caballeresco, debió de influir también el del gran caballero artúrico Lanzarote del Lago, cuya historia estaba tan divulgada en España por libros y por romances; y en el espíritu de Cervantes debió de hacer mella el nombre burlesco del «hidalgo Camilote», que aparece en el libro de caballerías *Primaleón y Polendos,* punto que veremos más adelante. Y del mismo modo que los caballeros hacían seguir su nombre del de su patria (Amadís *de Gaula,* Palmerín *de Inglaterra*), don Quijote lo completó con el de la suya: «de la Mancha».

Dulcinea del Toboso.

Finalmente, recordando don Quijote que todo caballero andante estaba enamorado de una dama a quien encomendarse en los trances peligrosos y a quien ofrecer los frutos de sus victorias, decidió hacer dama suya a una moza labradora «de muy buen parecer», llamada Aldonza Lorenzo, natural del cercano pueblecillo manchego del Toboso. Pero el nombre de esta mujer era de una vulgaridad intolerable, hasta el punto que corría el proverbio «A falta de moza, buena es Aldonza», y la protagonista de *La lozana andaluza,* obra celestinesca de Francisco Delicado, se llamaba así y se cambió el nombre por su anagrama Lozana. Don Quijote, que tiempo atrás había estado algo enamorado de Aldonza Lorenzo, aunque sin llegar a darle cuenta de sus sentimientos, al convertirla ahora en su «dama» le da el nombre de Dulcinea del Toboso. Ya veremos el sutil arte con que Cervantes trata a este personaje femenino, que jamás asoma a las páginas del *Quijote*.

Y así acaba el primer capítulo de la novela, excelente y acertada presentación del protagonista en la que el autor ha dado a sus lectores los datos suficientes para comprender su propósito inicial: la sátira y parodia de un género literario en boga, los libros de caballerías. El hidalgo manchego se ha vuelto loco debido a una auténtica intoxicación literaria y su demencia le ha llevado a un desajuste con su ambiente y con su tiempo. Creído de que la aventura caballeresca es algo factible, a ella ha acomodado su nombre, el de su caballo y el de la moza labradora que ha transfigurado en una encumbrada dama.

Don Quijote en el campo y el «rubicundo Apolo».

Con el ideal de justicia y equidad de la caballería medieval («agravios que pensaba deshacer, tuertos que enderezar, sinrazones que emendar, y abusos que mejorar, y deudas que satisfacer», I, 2) sale don Quijote de su aldea por la puerta del corral de su casa una calurosa mañana de julio, sin que nadie se dé cuenta, y emprende su vagabundeo a caballo de Rocinante. Va sin rumbo fijo, como los caballeros andantes de las novelas, y hablando consigo mismo en lenguaje campanudo, altisonante y cuajado de arcaísmos. Sueña en su gloria futura y en el historiador que en tiempo venidero escribirá sus hazañas, y su imaginación le dicta las palabras con que se narrará su primera salida:

Apenas había el rubicundo Apolo tendido por la faz de la ancha y espaciosa tierra las doradas hebras de sus hermosos cabellos, y apenas los pequeños y pintados pajarillos con sus arpadas lenguas habían saludado con dulce y meliflua armonía la venida de la rosada aurora, que, dejando la blanda cama del celoso marido, por las puertas y balcones del manchego horizonte a los mortales se mostraba, cuando el famoso caballero don Quijote de la Mancha dejando las ociosas plumas, subió sobre su famoso caballo Rocinante, y comenzó a caminar por el antiguo y conocido campo de Montiel (I, 2).

El lector moderno debe ir con mucho cuidado cuando en el *Quijote* encuentre pasajes como esta descripción del amanecer, que a más de a uno ha engañado. Las líneas que acabamos de ver han sido puestas como «modelo de prosa», y no ha faltado quien las admirara como tal. El error es gravísimo, y Cervantes reiría de buena gana si pudiera ver que hay quien se toma en serio este pasaje, pues él lo escribió con el deliberado propósito de burlarse de los libros de caballerías y de parodiar su altisonante estilo. La prueba está en el hecho de que en algunos de estos libros encontramos descripciones muy similares, *pero escritas en serio*, como en la del amanecer que nos ofrece el *Belianís de Grecia*:

Cuando a la asomada de Oriente el lúcido Apolo su cara nos muestra, y los músicos pajaritos las muy frescas arboledas suavemente cantando festejan, mostrando la muy gran diversidad y dulzura y suavidad de sus tan arpadas lenguas... (II, 43).

El lector del siglo XVII, que sabía que éste era el estilo peculiar de algunos libros de caballerías, captaba al instante la intención paródica de Cervantes en el pasaje «Apenas había el rubicundo Apolo...», que, fijémonos bien, está puesto en boca de don Quijote, quien, intoxicado por este estilo de prosa, lo juzga admirable, al paso que Cervantes, al satirizarlo, lo condena rotundamente. Advertimos, además, que el *Quijote* es, en principio, un libro propio para ser gustado por entendidos en literatura, que sabrán captar bien las intenciones del autor.

Don Quijote es armado caballero.

Apenas don Quijote ha abandonado su aldea se da cuenta de que jamás ha sido armado caballero, y se propone recibir la orden de caballería en la primera ocasión que se le presente. Al atardecer, después de un día de vagar por despoblado, llega a una venta o mesón que su mente transforma en un castillo. Se inicia aquí una de las fases de la enfermedad mental del protagonista, que consiste en acomodar la realidad, por lo general vulgar y corriente, a su exaltada fantasía literaria. Sus sentidos le engañan y le transmudan la realidad de acuerdo con su idea fija o monomanía: dos mozas de la más vil condición que estaban a la puerta de la venta (la Tolosa y la Molinera) se le imaginan dos hermosas doncellas o encumbradas damas, y el sonido del cuerno de un porquero le parece el clarín de un enano que anuncia su llegada a los moradores del castillo. Don Quijote, convencido de que el ventero, o propietario de aquel infame mesón, era el castellano de lo que él cree es un castillo, le pide que le arme caballero, a lo que aquél, hombre maleante y socarrón, accede para evitar ciertas pendencias que no tardan en iniciarse y para burlarse de aquel estrafalario loco.

Y en efecto, aquella noche, tras una grotesca imitación de la sagrada ceremonia de la vela de las armas, el ventero se presta a la farsa de armar caballero a don Quijote. Lo más noble y elevado de la religiosa solemnidad de armar caballero queda ahora reducido y rebajado a una burla soez y miserable. El ventero, haciendo ver que lee oraciones en un libro «donde asentaba la paja y cebada que daba a los arrieros», da a don Quijote un espaldarazo con su espada. La Tolosa le ciñó la espada y la Molinera le calzó la espuela, como hacían las nobles doncellas en las ceremonias caballerescas.

Hay en este episodio una evidente y diáfana parodia de las solemnes fiestas que tanto abundan en los libros de caballerías donde el héroe es armado caballero con toda seriedad y con el más profundo fervor religioso. Pero hay aquí también la clave de un decisivo equívoco en que se basa el *Quijote,* pues pone bien de manifiesto que el protagonista de la novela jamás fue caballero, aspecto que percibían bien los lectores del siglo XVII. Para este caso la antigua legislación española es bien clara y explícita. En la ley XII del título XXI de la Segunda de las *Partidas* del rey don Alfonso X el Sabio se legisla lo siguiente: «E non deve ser cavallero el que una vegada oviesse recebido cavallería por escarnio. E esto podría ser en tres maneras: la primra, quando el que fiziesse cavallero non oviesse poderío de lo fazer; la segunda, quando el que la recibiesse non fuesse ome para ello por alguna de las razones que diximos [entre estas razones se ha dicho antes que no puede ser caballero «el que

52

es loco» ni el hombre «muy pobre»]; la tercera, quando alguno que oviesse derecho de ser cavallero la recibiesse a sabiendas por escarnio... E por ende, fue establescido entiguamente por derecho que el que quisiera escarnecer tan noble cosa como la cavallería, que fincase escarnescido della, de modo que non la pudiese aver».

Ya hemos visto que don Quijote recibió la caballería «por escarnio», como demuestra hasta la saciedad el episodio que comentamos, donde el ventero que le dio el espaldarazo no tenía «poderío de lo fazer» y con sus burlas y farsa no hizo más que escarnecer «tan noble cosa como la cavallería». Don Quijote además quedaba excluido del acceso a la caballería por la segunda imposibilidad señalada por la ley, ya que no era «ome para ello» por estar loco y por ser pobre. Y adviértase que en la segunda parte de la novela la sobrina del protagonista dirá a éste: «¡Qué sepa vuestra merced tanto, señor tío, que, si fuese menester en una necesidad, podría subir en un púlpito e irse a predicar por esas calles, y que, con todo esto, dé en una ceguera tan grande y en una sandez tan conocida, que se dé a entender que es valiente, siendo viejo, que tiene fuerzas, estando enfermo, y que endereza tuertos, estando por la salud agobiado, y, *sobre todo, que es caballero, no lo siendo, porque aunque lo puedan ser los hidalgos, no lo son los pobres!*» (II, 6).

Don Quijote no fue caballero por tres razones: porque estaba loco, porque era pobre y porque una vez recibió por escarnio la caballería. Aunque hubiera recobrado la razón y aunque hubiera allegado una cuantiosa hacienda, el hidalgo manchego jamás hubiera podido ser armado caballero, porque una vez, contra lo legislado en la Segunda Partida, recibió la caballería por escarnio.

Obsérvese que toda la novela transcurrirá acomodada a este equívoco inicial. Las personas sensatas que toparán con don Quijote comprenderán al punto que se trata de un loco que se figura que es caballero. Sólo los rústicos, como los cabreros, los chiflados, como el primo, o los tontos, como doña Rodríguez, se tomarán en serio la caballería del hidalgo manchego. Y también Sancho Panza, a pesar de su sentido común. Pero Cervantes ha sido muy hábil, y ha colocado el episodio del «armazón» de la caballería antes de que en la novela aparezca el escudero. Si Sancho hubiese estado en la venta cuando don Quijote fue armado hubiera visto la realidad: que aquello era venta y no castillo, que el ventero no era ningún castellano y que toda la escena fue una farsa.

La novela se basa, pues, en un error, producto de la locura del protagonista, que, como buen monomaníaco es un hombre sensato, prudente y entendido en todo menos en lo que afecta a su desviación mental. Don Quijote, hombre bueno, inteligente, de agudo espíritu, de un atractivo sin límites y admirable conversador, sólo denuncia su locura al creerse caballero y al amoldar cuanto le rodea al ficticio y literario mundo de los libros de caballerías.

Aventura de Andrés y Juan Haldudo: un error aritmético.

Creído de que ya es caballero, satisfecho y alegre, sale don Quijote de la venta que tomó por castillo. Pero a poco se ofreció ante su vista la injusticia, el abuso de poder y la desgracia del desvalido, males contra los que fundamentalmente había luchado la caballería medieval y para cuyo exterminio erraban por el mundo los caballeros andantes de los libros. Juan Haldudo, el rico, vecino del Quintanar, está azotando a su mozo Andrés, que tiene atado a una encina, porque le perdía las ovejas de su ganado. Don Quijote interviene a favor del criado y ordena a Juan Haldudo que desate a su víctima y que le pague los meses de sueldo que le debe. Atemorizado el amo obedece, y al tratar del pago de la deuda resulta que Andrés ha de cobrar nueve meses a siete reales cada mes. «Hizo la cuenta don Quijote, y halló que montaban setenta y tres reales». Así, «setenta y tres», como se lee en la primera edición del *Quijote,* y no «sesenta y tres», como se ha enmendado en las demás impresiones y como quiere la aritmética. Don Quijote, tan sabio en armas y en letras, se equivoca en esta tan elemental multiplicación (recuérdese que Cervantes fue encarcelado por cuentas mal rendidas), error que, naturalmente, favorece al menesteroso.

Satisfecho se marcha don Quijote convencido de que ha reparado una injusticia; pero apenas se ha perdido de vista, Juan Haldudo ata al mozo otra vez a la encina y lo azota hasta dejarlo medio muerto. Don Quijote ignora su auténtico fracaso, y que su intervención justiciera no ha hecho más que dañar al pobre Andrés. Días después volverá a encontrarse con el mozo y tendrá que oír de él que más hubiera valido que don Quijote hubiese seguido su camino adelante en vez de meterse donde no le llamaban ni en negocios ajenos (I, 31).

Aventura de los mercaderes.

A poco encontró don Quijote a seis mercaderes toledanos que iban a comprar seda a Murcia, y los detuvo y les conminó a que confesaran «que no hay en el mundo todo doncella más hermosa que la emperatriz de la Mancha, la sin par Dulcinea del Toboso» (I, 4). Don Quijote exige que hagan esta confesión sin verla («la importancia está en que sin verlo lo habéis de creer, confesar, jurar y defender»). Pide a aquellos hombres un acto de fe ciega, que les parece ridículo e incomprensible; y como es lógico los mercaderes se burlan de él, y cuando don Quijote irritado los ataca, tropieza y cae Rocinante, un mozo toma la lanza del caballero y lo apalea cruelmente y lo deja tendido en el suelo sin aliento ni poder moverse por el peso de su arcaica armadura.

Nuevo sesgo de la locura de don Quijote:
los desdoblamientos.

Molido y sin poder moverse después de la paliza recibida, la locura de don Quijote adquiere una característica nueva: el protagonista de la novela se imagina ser otra persona. Recordando los romances del Marqués de Mantua se figura que él no es don Quijote sino Valdovinos, personaje que se halló en un trance parecido. Acierta a pasar por allí un labrador vecino suyo, Pedro Alonso, quien reconoce al «señor Quijana» y lo socorre caritativamente. Don Quijote se imagina que su vecino es el Marqués de Mantua y le habla con versos de los romances. Poco después, cuando el vecino lo ha cargado en su asno y lo conduce a la aldea, don Quijote se figura que él es el moro Abindarráez y Pedro Alonso don Rodrigo de Narváez, personajes de la novela morisca *Historia del Abencerraje y de la hermosa Jarifa*. Don Quijote sufre, pues, dos desdoblamientos de su personalidad, sesgo nuevo de su locura, pero que será pasajero, pues sólo se volverá a dar al principio del capítulo 7 de esta primera parte, cuando se figurará ser Reinaldos de Montalbán. Éste es un aspecto esporádico de la locura de don Quijote. Cervantes, a partir del capítulo citado, enmendará esta nueva técnica, y a lo largo de toda la novela don Quijote será siempre don Quijote.

El «Entremés de los romances».

Probablemente entre los años 1588 y 1591 un escritor anónimo, sin duda perteneciente a un grupo hostil a Lope de Vega, escribió una breve pieza teatral, el *Entremés de los romances,* en la que un infeliz labrador llamado Bartolo enloquece de tanto leer el Romancero y se empeña en imitar la actitud, el lenguaje y las hazañas de sus héroes. Se hace soldado y, acompañado de su escudero Bandurrio, sale en busca de aventuras. Quiere defender a una pastora a la que importuna un zagal, pero éste se apodera de la lanza de Bartolo y le da una gran paliza y le deja tendido en el suelo. Bartolo se acuerda entonces del romance del Marqués de Mantua y recita precisamente los mismos versos que Cervantes pone en boca de don Quijote después de la aventura de los mercaderes toledanos :

¿Dónde estás, señora mía,
que no te duele mi mal?

Y cuando la familia de Bartolo llega para auxiliar al pobre loco, éste se imagina que quien acude es el Marqués de Mantua y le saluda:

¡Oh noble Marqués de Mantua,
mi tío y señor carnal!

El parecido entre el *Entremés de los romances* y el capítulo 5 de la primera parte del *Quijote* es tan evidente que no hay duda de que existe una relación directa: Bartolo, loco por la lectura de los romances, y don Quijote, loco por la lectura de los libros de caballerías, no tan sólo se comportan de un modo similar sino que ambos, después de haber caído del caballo y recibir una paliza con su propia lanza, se lamentan con los mismos versos. Los cervantistas del siglo pasado creyeron que el entremés constituía la primera imitación del *Quijote;* actualmente, en cambio, los críticos más solventes consideran que el fenómeno es inverso, y que Cervantes pudo leer o presenciar alguna representación del *Entremés de los romances,* y que ello le sugirió algún aspecto de su gran novela y, concretamente, la materia desarrollada en el citado capítulo 5. Esto, a su vez, explicaría el nuevo sesgo de la locura de don Quijote: Cervantes, fuertemente impresionado por la breve pieza teatral, adoptaría pasajeramente la técnica de los desdoblamientos de la personalidad, que abandonará muy pronto.

En nada merma el mérito ni la invención del *Quijote* el hecho de que Cervantes se haya inspirado en obra de tan poca importancia y de tan escaso valor literario como es el *Entremés de los romances.* El novelista supo elevar aquella endeble muestra de literatura bufa a un superior plano artístico. En la literatura francesa ocurre algo similar, ya que la gran obra de François Rabelais se inspiró en un librillo anónimo, ayuno de todo valor literario, llamado *Grandes et inestimables cracniques du grant et enorme géant Gargantua.* Y en el caso concreto de Cervantes su deuda al *Entremés de los romances* es mucho menor que la de Rabelais al citado libro anónimo.

*El escrutinio de los libros y final de la primera salida
de don Quijote.*

Pedro Alonso lleva a don Quijote a su aldea. Su ausencia
había producido la natural intranquilidad a la sobrina del hidalgo y al ama que cuidaba de la casa, quienes habían compar-
tido sus angustias y temores con el cura y el barbero del lugar,
y todos habían llegado a la consecuencia de que la locura de
don Quijote era debida a la lectura de libros de caballerías.
Una vez ha vuelto don Quijote, y mientras éste duerme profundamente, el cura y el barbero proceden a examinar los libros
que llenaban la librería o biblioteca del hidalgo. Se trata de un
capítulo (I, 6) dedicado exclusivamente a la crítica de novelas
y de libros de poesía, que el cura va comentando y juzgando
según, naturalmente, las ideas y gustos de Cervantes. La mayoría de los libros son quemados por el ama en el corral de la
casa; pero algunos de ellos se salvan de la condena (el *Amadís
de Gaula,* el *Palmerín de Inglaterra,* el *Tirante el Blanco*), así
como ciertas novelas pastoriles. Entre éstas aparece «*La Galatea* de Miguel de Cervantes», de quien dice el cura que hace
años que es gran amigo suyo y que sabe «que es más versado
en desdichas que en versos» (en lo que hay un evidente juego
de palabras). Respecto a la *Galatea* afirma el cura que es libro
que «tiene algo de buena invención; propone algo, y no concluye nada», pero que hay que esperar la publicación de su
segunda parte para juzgarlo (como es sabido, la segunda parte
de la *Galatea,* varias veces prometida por Cervantes, no llegó
a aparecer nunca). Adviértase este curioso aspecto del *Quijote*:
la aparición en la novela del propio novelista, ahora como un
escritor amigo del cura, uno de los personajes de la ficción;
luego irrumpirá él mismo en la obra. Como sea que en este
escrutinio no figura ningún libro cuya primera edición sea
posterior a 1591, hay fundadas razones para creer que Cervantes escribió este capítulo (lo que equivaldría a decir que comenzó el *Quijote*) aquel año o en los dos inmediatamente siguientes.

Se ha supuesto que, tras el escrutinio y quema de los libros del hidalgo, se acababa una primera versión del *Quijote*, concebido como novela breve al estilo de las *Novelas ejemplares*. En efecto, estos seis primeros capítulos que constituyen la primera salida del protagonista tienen una evidente unidad por sí solos. Se trataría de una breve narración, muy similar al *Entremés de los romances,* en la cual un hidalgo enloquecería leyendo libros de caballerías, sería burlescamente armado caballero, defendería a Andrés de las iras de Juan Haldudo y finalmente sería apaleado por los mercaderes y recogido por Pedro Alonso y vuelto a su aldea. La condena e incincración de los libros de caballerías, causantes del daño, cerrarían esta novelita. No obstante, todo esto no pasa de ser una conjetura, y afortunadamente Cervantes siguió adelante.

Segunda salida de don Quijote

(Primera parte, capítulos 7 a 52)

Sancho Panza.

Don Quijote no podía vagar solo por los caminos de España, pues el novelista se veía obligado a hacerle pronunciar largos soliloquios que nos revelaran sus impresiones, sus estados de ánimo y su talante. El don Quijote de la primera salida queda un poco apartado de nosotros porque lo seguimos únicamente a través de los datos que objetivamente nos ofrece el escritor y de sus desvaríos. Ahora, al salir por segunda vez de su casa, don Quijote lo hará acompañado «de un labrador vecino suyo, hombre de bien — si es que este título se puede dar al que es pobre —, pero de muy poca sal en la mollera» (I, 7). Sancho Panza no será siempre así, y en la pluma de Cervantes irá evolucionando, no tan sólo porque el escritor lo perfilará y lo matizará con inigualable acierto, sino también porque a este ignorante labrador se le irá pegando el ingenio de don Quijote e incluso llegará a contagiarse de su locura. Sancho se decide a acompañar a don Quijote en calidad de escudero, aunque no tiene una idea muy clara de lo que esto significa (y de hecho será, y se considerará, un criado del hidalgo), y acuciado por la promesa de las ganancias y botines que su amo adquirirá en sus aventuras, sobre todo el gobierno de una «ínsula». Tamposo sabe exactamente Sancho qué es una ínsula, pues se trata de un término arcaico que aparecía con frecuencia en los libros de caballerías. Cuando Sancho, en la segunda parte de la novela, vea realizado su sueño, aunque todo ello no sea más que una breve farsa, su ínsula estará en el centro de Aragón y nada tendrá de isleño.

Es posible que Cervantes eligiera el nombre del escudero-criado de don Quijote en atención a un modismo de la época: «Allá va Sancho con su rocino», que se aplicaba a dos personas que siempre iban juntas; modismo muy antiguo, pues el Marqués de Santillana, en sus *Refranes que dicen las viejas tras el fuego,* incluye el siguiente: «Fallado ha Sancho el su rocín».

Lo importante es que a partir de este capítulo 7 ha aparecido en el *Quijote* la inmortal pareja y con ella el constante y sabroso diálogo. Gracias a este diálogo entraremos a fondo en el alma de don Quijote, y su constante departir con Sancho será un eficaz contraste entre el sueño caballeresco y la realidad tangible, la locura idealizadora y la sensatez elemental, la cultura y la rusticidad y también la ingenuidad y la cazurra picardía. La figura de ambos se presta también al contraste: don Quijote seco y delgado, montado en su escuálido caballo, y Sancho gordo y chaparro, siempre acompañado de su asno.

Los molinos de viento.

Uno de los episodios más conocidos del *Quijote,* y que ha sido objeto de infinidad de manifestaciones gráficas, es la aventura de los molinos de viento (I, 8). Don Quijote montado en Rocinante y Sancho en su jumento llegan, en su vagar, ante treinta o cuarenta molinos de viento, que el primero imagina ser unos desmesurados gigantes que agitan amenazadoramente los brazos, con gran sorpresa del segundo, que intenta convencer a su amo de la realidad. Don Quijote, como en la primera salida, sigue desfigurando la realidad para acomodarla a sus fantasías caballerescas, pero ahora tiene a su lado a Sancho, que inútilmente intentará sacarle de su error. Desoyendo las advertencias de éste, don Quijote acomete los molinos con su lanza, y caballo y caballero son derribados por la fuerza de las aspas que giran impelidas por el viento.

En esto, descubrieron treinta o cuarenta molinos de viento que hay en aquel campo, y así como don Quijote los vio, dijo a su escudero:

—La ventura va guiando nuestras cosas mejor de lo que acertáramos a desear; porque ves allí, amigo Sancho Panza, donde se descubren treinta o pocos más, desaforados gigantes, con quien pienso hacer batalla y quitarles a todos las vidas, con cuyos despojos comenzaremos a enriquecer; que ésta es buena guerra, y es gran servicio de Dios quitar tan mala simiente de sobre la faz de la tierra.

—¿Qué gigantes? —dijo Sancho Panza.

—Aquellos que allí ves —respondió su amo— de los brazos largos, que los suelen tener algunos de casi dos leguas.

—Mire vuestra merced —respondió Sancho— que aquellos que allí se parecen no son gigantes, sino molinos de viento, y lo que en ellos parecen brazos son las aspas, que, volteadas del viento, hacen andar la piedra del molino.

—Bien parece —respondió don Quijote— que no estás cursado en esto de las aventuras: ellos son gigantes; y si tienes miedo, quítate de ahí, y ponte en oración en el espacio que yo voy a entrar con ellos en fiera y desigual batalla.

Y diciendo esto, dio de espuelas a su caballo Rocinante, sin atender a las voces que su escudero Sancho le daba, advirtiéndole que, sin duda alguna, eran molinos de viento, y no gigantes, aquellos que iba a acometer. Pero él iba tan puesto en que eran gigantes, que ni oía las voces de su escudero Sancho, ni echaba de ver, aunque estaba ya bien cerca, lo que eran; antes iba diciendo en voces altas:

—Non fuyades, cobardes y viles criaturas, que un solo caballero es el que os acomete.

Levantóse en esto un poco de viento, y las grandes aspas comenzaron a moverse, lo cual visto por don Quijote, dijo:

—Pues aunque mováis más brazos que los del gigante Briareo, me lo habéis de pagar.

Y en diciendo esto, y encomendándose de todo corazón a su señora Dulcinea, pidiéndole que en tal trance le socorriese, bien cubierto de su rodela, con la lanza en el ristre, arremetió a todo galope de Rocinante y embistió con el primero molino que estaba delante; y dándole una lanzada en el aspa, la volvió el viento con tanta furia, que hizo la lanza pedazos, llevándose tras sí al caballo y al caballero, que fue rodando muy maltrecho por el campo. Acudió Sancho Panza a socorrerle, a todo el correr de su asno, y cuando llegó halló que no se podía menear: tal fue el golpe que dio con él Rocinante.

—¡Válame Dios! —dijo Sancho—. ¿No le dije yo a vuestra merced que mirase bien lo que hacía, que no eran sino molinos de viento, y no lo podía ignorar sino quien llevase otros tales en la cabeza?

—Calla, amigo Sancho —respondió don Quijote—; que las cosas de la guerra, más que otras, están sujetas a continua mudanza; cuanto más, que yo pienso, y es así verdad, que aquel sabio Frestón que me robó el aposento y los libros ha vuelto estos gigantes en molinos por quitarme la gloria de su vencimiento: tal es la enemistad que me tiene; mas al cabo, han de poder poco sus malas artes contra la bondad de mi espada.

—Dios lo haga como puede —respondió Sancho Panza.

Y, ayudándole a levantar, tornó a subir sobre Rocinante, que medio despaldado estaba. Y, hablando en la pasada aventura, siguieron el camino del Puerto Lápice, porque allí decía don Quijote que no era posible dejar de hallarse muchas y diversas aventuras, por ser lugar muy pasajero; sino que iba muy pesaroso por haberle faltado la lanza; y, diciéndoselo a su escudero, le dijo:

—Yo me acuerdo haber leído que un caballero español llamado Diego Pérez de Vargas, habiéndosele en una batalla roto la espada, desgajó de una encina un pesado ramo o tronco, y con él hizo tales cosas aquel día y machacó tantos moros, que le quedó por sobrenombre Machuca, y así él como sus decendientes se llamaron desde aquel día en adelante Vargas y Machuca. Hete dicho esto, porque de la primera encina o roble que se me depare pienso desgajar otro tronco tal y tan bueno como aquel que me imagino, y pienso hacer con él tales hazañas, que tú te tengas por bien afortunado de haber merecido venir a vellas y a ser testigo de cosas que apenas podrán ser creídas.

—A la mano de Dios —dijo Sancho—; yo lo creo todo así como vuestra merced lo dice; pero enderécese un poco, que parece merced que va de medio lado, y debe de ser del molimiento de la caída.

—Así es la verdad —respondió don Quijote—; y si no me quejo del dolor es porque no es dado a los caballeros andantes quejarse de herida alguna, aunque se le salgan las tripas por ella.

Los molinos se han convertido en la mente de don Quijote en gigantes porque en los libros de caballerías abundan estos seres de monstruosas proporciones, muchas veces llamados «jayanes» (del francés antiguo *jayant*, moderno *géant*), y que casi siempre son perversos y causan gran daño a los hombres normales. El gigante es un elemento casi imprescindible del libro de caballerías desde sus inicios medievales (como Morholt, vencido por Tristán); y en las degeneraciones del género en el siglo XVI esta monstruosa especie prolifera enormemente. Los mismos nombres de los gigantes que aparecen en los libros de caballerías quieren ser tremebundos pero caen en lo ridículo, y a veces son sencillamente grotescos. Don Quijote, en sus constantes lecturas, había topado con gigantes llamados Anfeón, Carmadón, Bruciferno, Boralto Dragontino, Brutillón, Arrastronio el Bravo, Pronastor el Orgulloso, Grindalafo, Furibundo, Astrobando (que cabalgaba en un elefante porque ningún caballo podía soportar su peso), Mandanfabul, Calfurnio, Baledón, Bravorante (que se había criado con leche de tigre y se alimentaba con carne de fieras), Pacanaldo, Cartaduque («el Jayán de la Montaña Defendida»), Daliagán de la Cueva Oscura, Frandamón el Desmesurado, Galpatrafo, Luciferno de la Boca Negra, Pasaronte el Malo, Marisgolfo, Mondragán el Feo, Bracamonte el Espantable, Mordacho de las Desemejadas Orejas, Serpentino de la Fuente Sangrienta, Nabón el Negro, Candramarte, Tenuronte el Malo, etc.

Don Quijote tenía estos terribles nombres en la cabeza y sabía que los caballeros andantes habían luchado contra tan desmesurados seres y los habían vencido. Véase, como muestra de estos combates, la victoria de Galaor, hermano de Amadís, sobre el «gran gigante señor de la Peña de Galtares»:

...El jayán le dijo: —Cativo caballero, ¿cómo osas atender tu muerte, que te no verá más el que acá te envió? Y aguarda y verás cómo sé ferir de maza—. Galaor fue sañudo y dijo: —Diablo, tú serás vencido y muerto con lo que yo trayo en mi ayuda, que es Dios y la razón—. El jayán movió contra él, que no parescía sino una torre. Galaor fue a él con su lanza baja al más correr de su caballo y encontróle en los pechos de tal fuerza que la una estribera le hizo perder, y la lanza quebró. El jayán alzó la maza por lo ferir en la cabeza, y Galaor pasó tan aína que lo no alcanzó sino en el brocal del escudo, y quebrando los brazales y el tiracol ge lo fizo caer en tierra, y a pocas Galaor hobiera caído tras él; y el golpe fue tan fuerte dado, que el brazo no pudo la maza sostener y dio en la cabeza de su mismo caballo, así que lo derribó muerto, y él quedó debajo. Y queriéndose levantar, habiendo salido dél a gran afán, llegó Galaor y diole de los pechos del caballo y pasó sobre él bien dos veces antes que se levantase; y a la hora tropezó el caballo de Galaor en el del gigante, y fue a caer de la otra parte. Galaor salió dél luego, que se veía en aventura de muerte, y puso mano a la espada que Urganda le diera, y dejóse ir al jayán que la maza tomaba del suelo, y diole con la espada en el palo della y cortóle todo, que no quedó sino un pedazo que le quedó en la mano, y con aquél lo firió el jayán de tal golpe por cima del yelmo que la una mano le fizo poner en tierra, que la maza era fuerte y pesada, y el que fería de gran fuerza y el yelmo se le torció en la cabeza. Mas él, como muy ligero y de vivo corazón fuese, levantóse luego y tornó al jayán, el cual le quiso ferir otra vez; pero Galaor, que mañoso y ligero andaba, guardóse del golpe y diole en el brazo con la espada tal ferida que ge lo cortó cabe el hombro, y descendiendo la espada a la pierna, e cortó cerca de la meitad. El jayán dio una gran voz y dijo: — ¡Ay, cativo, escarnido soy por un hombre solo! —. Y quiso abrazar a Galaor con gran saña, mas no pudo ir adelante por la gran ferida de la pierna, y sentóse en el suelo. Galaor tornó a lo ferir, y como el gigante tendió la mano por lo trabar, diole un golpe que los dedos le echó en tierra con la meitad de la mano; y el jayán, que por lo trabar se había tendido mucho, cayó, y Galaor fue sobre él y matólo con su espada y cortóle la cabeza (*Amadís de Gaula*, I, 12).

Relatos de este tipo habían excitado la imaginación de don Quijote: es natural que al ver los molinos de viento se imaginara que se hallaba frente a terribles gigantes, con los que podría luchar y a los que podría vencer como Galaor y tantos otros caballeros andantes.

La aventura del vizcaíno.

Al día siguiente don Quijote y Sancho encuentran por el camino a un grupo formado por dos frailes de san Benito, montados en dos mulas de alquiler, cuatro o cinco de a caballo que acompañaban a una dama vizcaína que viajaba en un coche y dos mozos. Don Quijote se imagina que se trata de encantadores que llevan raptada en el coche a alguna princesa, lance no raro en los libros de caballerías. En el titulado *El caballero de la Cruz* (condenado al fuego en el escrutinio del cura) el infante Floramor se topa con un grupo en el que el gigante Argomeo el Cruel y otros cuatro jayanes llevan raptadas a la emperatriz de Constantinopla y a la princesa Cupidea, y los interpela valientemente con las siguientes palabras: «¡Malditos traidores! Dejad a las doncellas que robadas lleváis, si no todos moriréis a mis manos». Don Quijote interpela al pacífico grupo de los frailes, los mozos y la dama vizcaína casi en los mismos términos: «Gente endiablada y descomunal, dejad luego al punto las altas princesas que en este coche lleváis forzadas; si no, aparejaos a recebir presta muerte, por justo castigo de vuestras malas obras» (I, 8). La intención paródica de Cervantes es clara, pero sólo se advierte cuando se conoce el estilo de los libros que está parodiando, en este caso *El caballero de la Cruz*.

Don Quijote acomete a uno de los frailes, pone en fuga al otro, se aproxima al coche y habla en términos caballerescos y arcaicos a la dama. Pero el escudero vizcaíno de ésta le ataja indignado «en mala lengua castellana y peor vizcaína», o sea en un divertido español con sintaxis vascongada, acertado rasgo de pintoresquismo que Cervantes intensificó en su entremés *El vizcaíno fingido* (téngase en cuenta que se daba el nombre de vizcaínos a los vascos en general, o sea a los naturales de las actuales tres provincias vascongadas).

Don Quijote y el vizcaíno se enfrentan y se inicia un combate entre ellos. Pero en plena lucha Cervantes deja pendiente el relato, con el pretexto de que aquí lo dejó el autor de la historia de don Quijote. Ya vimos que Cervantes finge que va tomando la narración de otros autores. Ahora añade que está convencido de que en los archivos de la Mancha se deben de encontrar papeles con el relato de los hechos de don Quijote. Y así da fin la primera parte de la obra. Hay que tener presente que *El ingenioso hidalgo don Quijote de la Mancha* se publicó en 1605 dividido en cuatro partes, distribución que las ediciones modernas no suelen mantener, ya que ello se presta a confusiones con la segunda parte de la novela, o segundo tomo, que apareció en 1615 sin subdivisión alguna y con el título de *El ingenioso* caballero *don Quijote de la Mancha*.

Cide Hamete Benengeli.

Cervantes ha fingido hasta ahora ser una especie de erudito que recopilaba datos de otros autores y de los papeles de los archivos de la Mancha para ordenar la historia de don Quijote. Al empezar el capítulo 9 el mismo Cervantes se introduce en las páginas de su novela, apesadumbrado por no saber más de don Quijote, cuyos hechos cree que debieron de ocurrir en tiempos muy próximos porque entre los libros del hidalgo figuraban el *Desengaño de celos* de Bartolomé López de Enciso, obra publicada en 1586, y *Ninfas y pastores de Henares* de Bernardo González de Bobadilla, impreso en 1587. El lector no debe olvidar jamás que todo esto es un juego y una intencionada parodia de las obras graves y serias.

Explica Cervantes que encontrándose un día en Toledo tuvo oportunidad de hacerse con unos cartapacios y papeles viejos escritos en árabe y que gracias a un morisco se enteró de que se trataba de una obra llamada «Historia de don Quijote de la Mancha, escrita por Cide Hamete Benengeli, historiador arábigo». Contento con su hallazgo llegó a un acuerdo con el morisco para que éste le vertiera la citada «historia» al castellano. A partir de este momento el *Quijote* se ofrecerá a los lectores como traducción de este fingido texto arábigo al que de cuando en cuando Cervantes hará ver que se permite hacer algún comentario, y algunas veces se llamará a sí mismo «traductor».

Todo esto carece de sentido para el lector actual no especializado en la literatura castellana de los siglos XVI y XVII. Los contemporáneos de Cervantes, en cambio, advertían en ello una graciosa parodia del estilo de los libros de caballerías. En efecto, en muchos de ellos es frecuente que los autores finjan que los traducen de otra lengua o que han hallado el original en condiciones misteriosas. Así el *Cirongilio de Tracia* se presenta como traducido de un original que «escribió Novarco y Promusis en latín»; el *Belianís de Grecia* se dice «sacado de lengua griega, en la cual lo escribió el sabio Fristón»; el texto de *Las Sergas de Esplandián,* continuación del *Amadís,* «por gran dicha paresció en una tumba de piedra, que debajo de la tierra, en una ermita, cerca de Constantinopla, fue hallada, y traído por un húngaro mercadero a estas partes de España, en letra y pergamino tan antiguo que con mucho trabajo se pudo leer por aquellos que la lengua sabían». Se podrían multiplicar los ejemplos de este recurso, destinado a interesar al lector e intrigarlo con lo exótico y raro.

Cervantes, con su Cide Hamete Benengeli (o sea «señor Hamid aberenjenado»), no tan sólo desacreditó definitivamente estas ingenuas ficciones sino que dio al *Quijote* una estructura externa que es una auténtica parodia de la de los libros de caballerías.

Final de la aventura del vizcaíno.

Y así, hallado el texto arábigo de Cide Hamete Benengeli, Cervantes puede darnos el final de la aventura del vizcaíno, que antes quedó interrumpida. Don Quijote descarga un fuerte golpe sobre su adversario, el cual, sangrando, cae al suelo, y nuestro caballero le pone la punta de la espada en los ojos y le conmina a que se rinda, pues si no le cortará la cabeza. Episodios como éste aparecen con una frecuencia constante en los libros de caballerías, y en ellos es normal que el caballero vencedor obligue al vencido a encaminarse ante la dama de aquél o a la corte de un gran rey (el rey Artús, por ejemplo) para confesar su derrota y ponerse a disposición completa de la dama o del rey. Esto es lo que hace don Quijote, exigiendo al vizcaíno que se encamine al lugar del Toboso y se presente de su parte «ante la sin par señora Dulcinea, para que ella haga dél lo que más fuere de su voluntad» (I, 9).

La aventura del vizcaíno se resuelve de un modo inusitado en el *Quijote*. Constituye una auténtica victoria de don Quijote. Ya veremos que a éste las aventuras suelen acabarle mal, y por lo común en palizas o burlas. Ahora don Quijote ha triunfado, y precisamente ante un adversario fuerte, vigoroso e iracundo. Lo grotesco del episodio aparece al final, cuando el protagonista exige a su vencido enemigo que se encamine al Toboso y se ponga a disposición de la «sin par doña Dulcinea», ya que, si el vizcaíno hubiese sido tan ingenuo que hubiese querido cumplir el mandato, no hubiera podido llevarlo a término por la sencilla razón de que en el Toboso no existía ninguna Dulcinea, ya que don Quijote por ahora no confiesa que su dama es la moza labradora llamada Aldonza Lorenzo. Aquí está, precisamente, el sentido paródico de este episodio.

Los cabreros y el discurso sobre la Edad de Oro.

Don Quijote y Sancho llegan al anochecer a las chozas de unos cabreros que les dan hospitalidad amablemente, y al acabar la cena, cogiendo un puñado de bellotas, aquél pronuncia ante su rústico auditorio el famoso discurso sobre la Edad de Oro, en el que Cervantes reúne con acierto y varias veces con ironía una serie de tópicos de autores clásicos y renacentistas sobre aquella ideal época en que la virtud y la bondad imperaban en el mundo. Es de notar que varios de los conceptos desarrollados en este discurso de don Quijote (que empieza con las palabras «Dichosa edad y siglos dichosos aquellos a quien los antiguos pusieron el nombre de dorados...») reaparecen en la comedia de Cervantes *El trato de Argel,* donde el cautivo Aurelio pronuncia un soliloquio que empieza:

> ¡Oh santa edad, por nuestro mal pasada,
> a quien nuestros antiguos le pusieron
> el dulce nombre de la edad dorada...!

La historia de Grisóstomo y Marcela.

Durante la permanencia de don Quijote y Sancho con los cabreros (I, 11-14) se desarrolla el final de la historia de los amores pastoriles de Grisóstomo y Marcela, en la que amo y criado son unos meros espectadores. Se trata de un episodio de tipo pastoril que termina trágicamente con la muerte de Grisóstomo (que tal vez se suicida; Cervantes evita precisar este punto) a causa de los desdenes de Marcela, displicente y desdeñosa. El ambiente y el estilo de esta historia es similar al de la novela pastoril, que Cervantes había cultivado con su primera obra, la *Galatea;* pero es preciso tener en cuenta que aquí logra dar una mayor sensación de naturalidad. Hay en estos capítulos del *Quijote* una doble visión de la vida rústica: la de los cabreros y la de los pastores. Los primeros están tomados de la realidad, como Pedro, que en su hablar gracioso y campesino comete errores idiomáticos y emplea vulgarismos que don Quijote se apresura a corregirle. Los pastores, en cambio, son seres más literarios que auténticos, como Grisóstomo, el «famoso pastor estudiante», que había frecuentado las aulas de Salamanca y que es autor de una extensa «Canción desesperada» al estilo de Garcilaso de la Vega. Esta doble visión, si bien se pudiera justificar admitiendo que los cabreros no pasan de ser unos palurdos y los pastores son unos labradores acomodados, no por esto deja de tener algo de arbitrario, aunque cae plenamente dentro del gusto de la época.

Los yangüeses o gallegos.

Don Quijote y Sancho abandonan a los cabreros y pastores y reemprenden su viaje. Mientras descansan a la hora de la siesta Rocinante se entremete en el tranquilo pacer de unas hacas, o jacas, de unos yangüeses (o sea naturales de Yanguas; pero en la primera edición son llamados «gallegos»); éstos dan una paliza al caballo y luego a don Quijote y a Sancho, que quedan molidos en el suelo comentando melancólicamente tan inesperado suceso (I, 15).

Los sucesos de la venta y el bálsamo de Fierabrás.

Con penas y trabajos llegan a una venta, que don Quijote toma por castillo, a pesar de las razones y advertencias de Sancho. Los alojan en un desván, donde también duerme un arriero, el cual esperaba la nocturna visita de una moza de la venta, la asturiana Maritornes (descrita como un prodigio de fealdad), la cual acude y en la oscuridad se confunde de lecho y va al de don Quijote, quien le hace un engolado parlamento creído de que se trata de una hermosa doncella de aquel castillo que se ha enamorado de él. En este lance Cervantes parodia escenas típicas de los libros de caballerías, concretamente el capítulo primero del *Amadís de Gaula,* donde se describe la entrevista nocturna entre la infanta Elisena y el rey Perión.

Digo, pues, que después de haber visitado el arriero a su recua y dádole el segundo pienso, se tendió en sus enjalmas y se dio a esperar

69

a su puntualísima Maritornes. Ya estaba Sancho bizmado y acostado, y, aunque procuraba dormir, no lo consentía el dolor de sus costillas; y don Quijote, con el dolor de las suyas, tenía los ojos abiertos como liebre. Toda la venta estaba en silencio, y en toda ella no había otra luz que la que daba una lámpara, que colgada en medio del portal ardía.

Esta maravillosa quietud, y los pensamientos que siempre nuestro caballero traía de los sucesos que a cada paso se cuentan en los libros autores de su desgracia, le trujo a la imaginación una de las estrañas locuras que buenamente imaginarse pueden; y fue que él se imaginó haber llegado a un famoso castillo — que, como se ha dicho, castillos eran a su parecer todas las ventas donde alojaba —, y que la hija del ventero lo era del señor del castillo, la cual, vencida de su gentileza, se había enamorado dél y prometido que aquella noche, a furto de sus padres, vendría a yacer con él una buena pieza; y, teniendo toda esta quimera, que él se había fabricado, por firme y valedera, se comenzó a acuitar y a pensar en el peligroso trance en que su honestidad se había de ver, y propuso en su corazón de no cometer alevosía a su señora Dulcinea del Toboso, aunque la mesma reina Ginebra con su dama Quintañona se le pusiesen delante.

Pensando, pues, en estos disparates, se llegó el tiempo y la hora — que para él fue menguada — de la venida de la asturiana, la cual, en camisa y descalza, cogidos los cabellos en una albanega de fustán, con tácitos y atentados pasos, entró en el aposento donde los tres alojaban, en busca del arriero. Pero, apenas llegó a la puerta, cuando don Quijote la sintió, y, sentándose en la cama a pesar de sus bizmas y con dolor de sus costillas, tendió los brazos para recebir a su fermosa doncella. La asturiana, que, toda recogida y callando, iba con las manos delante, buscando a su querido, topó con los brazos de don Quijote, el cual la asió fuertemente de una muñeca, y tirándola hacia sí, sin que ella osase hablar palabra, la hizo sentar sobre la cama. Tentóle luego la camisa, y, aunque ella era de harpillera, a él le pareció ser de finísimo y delgado cendal. Traía en las muñecas unas cuentas de vidrio; pero a él le dieron vislumbres de preciosas perlas orientales. Los cabellos, que en alguna manera tiraban a crines, él los marcó por hebras de lucidísimo oro de Arabia, cuyo resplandor al del mesmo sol escurecía. Y el aliento, que, sin duda alguna, olía a ensalada fiambre y trasnochada, a él le pareció que arrojaba de su boca un olor suave y aromático; y, finalmente, él la pintó en su imaginación de la misma traza y modo que lo había leído en sus libros de la otra princesa que vino a ver el mal ferido caballero, vencida de sus amores, con todos los adornos que aquí van puestos. Y era tanta la ceguedad del pobre hidalgo, que el tacto, ni el aliento, ni otras cosas que traía en sí la buena doncella, no le desengañaban, las cuales pudieran hacer vomitar a otro que no fuera arriero; antes le parecía que tenía entre sus brazos a la diosa de la hermosura. Y, teniéndola bien asida, con voz amorosa y baja le comenzó a decir:

—Quisiera hallarme en términos, fermosa y alta señora, de poder pagar tamaña merced como la que con la vista de vuestra gran fermosura me habedes fecho; pero ha querido la fortuna, que no se cansa de perseguir a los buenos, ponerme en este lecho, donde yago tan molido y quebrantado, que, aunque mi voluntad quisiera satisfacer a la vuestra, fuera imposible. Y más, que se añade a esta imposibilidad otra mayor, que es la prometida fe que tengo a la sin par Dulcinea del Toboso, única señora de mis más escondidos pensamientos; que si esto no hubiera de por medio, no fuera yo tan sandio caballero que dejara pasar en blanco la venturosa ocasión en que vuestra gran bondad me ha puesto.

Maritornes estaba congojadísima y trasudando, de verse tan asida de don Quijote, y, sin entender ni estar atenta a las razones que le decía, procuraba, sin hablar palabra, desasirse. El bueno del arriero, a quien tenían despierto sus malos deseos, desde el punto que entró su coima por la puerta, la sintió, estuvo atentamente escuchando todo lo que don Quijote decía, y, celoso de que la asturiana le hubiese faltado la palabra por otro, se fue llegando más al lecho de don Quijote, y estúvose quedo hasta ver en qué paraba aquellas razones, que él no podía entender. Pero como vió que la moza forcejaba por desasirse y don Quijote trabajaba por tenella, pareciéndole mal la burla, enarboló el brazo en alto y descargó tan terrible puñada sobre las estrechas quijadas del enamorado caballero, que le bañó toda la boca de sangre; y, no contento con esto, se le subió encima de las costillas, y con los pies más que de trote, se las paseó todas de cabo a cabo.

El lecho, que era un poco endeble y de no firmes fundamentos, no pudiendo sufrir la añadidura del arriero, dio consigo en el suelo, a cuyo gran ruido despertó el ventero; y luego imaginó que debían de ser pendencias de Maritornes, porque, habiéndola llamado a voces, no respondía. Con esta sospecha se levantó, y, encendiendo un candil, se fue hacia donde había sentido la pelaza. La moza, viendo que su amo venía, y que era de condición terrible, toda medrosica y alborotada, se acogió a la cama de Sancho Panza, que aún dormía, y allí se acorrucó y se hizo un ovillo. El ventero entró diciendo:

—¿Adónde estás, puta? A buen seguro que son tus cosas éstas.

En esto, despertó Sancho, y, sintiendo aquel bulto casi encima de sí, pensó que tenía la pesadilla, y comenzó a dar puñadas a una y otra parte, y, entre otras alcanzó con no sé cuántas a Maritornes, la cual, sentida del dolor, echando a rodar la honestidad, dio el retorno a Sancho con tantas, que, a su despecho, le quitó el sueño; el cual, viéndose tratar de aquella manera, y sin saber de quién, alzándose como pudo, se abrazó con Maritornes, y comenzaron entre los dos la más reñida y graciosa escaramuza del mundo.

Viendo, pues, el arriero, a la lumbre del candil del ventero, cuál andaba su dama, dejando a don Quijote, acudió a dalle el socorro necesario. Lo mismo hizo el ventero, pero con intención diferente, porque fue a castigar a la moza, creyendo, sin duda, que ella sola era la ocasión de toda aquella armonía. Y así como suele decirse: el gato al rato, el rato a la cuerda, la cuerda al palo, daba el arriero a Sancho, Sancho a la moza, la moza a él, el ventero a la moza, y todos menudeaban con tanta priesa, que no se daban punto de reposo; y fue lo bueno que al ventero se le apagó el candil, y, como quedaron ascuras, dábanse tan sin compasión todos a bulto, que a doquiera que ponían la mano no dejaban cosa sana.

Alojaba acaso aquella noche en la venta un cuadrillero de los que llaman de la Santa Hermandad vieja de Toledo, el cual, oyendo ansimesmo el estraño estruendo de la pelea, asió de su media vara y de la caja de lata de sus títulos, y entró ascuras en el aposento, diciendo:

—¡Ténganse a la justicia! ¡Ténganse a la Santa Hermandad!

Y el primero con quien topó fue con el apuñeado de don Quijote, que estaba en su derribado lecho, tendido boca arriba, sin sentido alguno, y, echándole a tiento mano a las barbas, no cesaba de decir:

—¡Favor a la justicia!

Pero viendo que el que tenía asido no se bullía ni meneaba, se dio a entender que estaba muerto, y que los que allí dentro estaban eran sus matadores, y con esta sospecha reforzó la voz, diciendo:

—¡Ciérrese la puerta de la venta! ¡Miren no se vaya nadie, que han muerto aquí a un hombre!

Esta voz sobresaltó a todos, y cada cual dejó la pendencia en el grado que le tomó la voz. Retiróse el ventero a su aposento, el arriero a sus enjalmas, la moza a su rancho; solos los desventurados don Quijote y Sancho no se pudieron mover de donde estaban. Soltó en esto el cuadrillero la barba de don Quijote, y salió a buscar luz para buscar y prender los delincuentes; mas no la halló, porque el ventero, de industria, había muerto la lámpara cuando se retiró a su estancia, y fuele forzoso acudir a la chimenea, donde, con mucho trabajo y tiempo, encendió el cuadrillero otro candil (I, 16).

Don Quijote y Sancho, molidos y aporreados, yacen en sus incómodos lechos sin saber a ciencia cierta qué ha ocurrido y por qué razón han recibido tantos golpes, cuando al primero se le ocurre confeccionar el «bálsamo de Fierabrás», que con su poder extraordinario les sanará de sus heridas y chichones. El lector debe saber que el cantar de gesta francés de *Fierabrás*, que se fecha hacia el año 1170, cuenta que el rey sarraceno Balán y su hijo el gigante Fierabrás conquistaron Roma, la saquearon y robaron las sagradas reliquias allí veneradas, entre ellas dos barriles con restos del bálsamo con que fue embalsamado el cuerpo de Jesús, que tenía el poder de curar las heridas a quien lo bebía. Siguen innumerables batallas con los francos, en las que Oliveros realiza grandes hazañas, hasta que finalmente Fierabrás se hace cristiano y Carlomagno devuelve el precioso bálsamo a Roma. Se trata de la novelización de una ingenua leyenda piadosa, redactada con fe ardiente y espíritu cristiano, que en España se divulgó gracias a una prosificación francesa del cantar que se tradujo con el título de *Historia del emperador Carlomagno y de los doce pares de Francia, e de la cruda batalla que hubo Oliveros con Fierabrás, rey de Alejandría, hijo del grande almirante Balán,* publicada en Sevilla en 1525 y reimpresa varias veces.

Don Quijote, dispuesto a actuar como los caballeros andantes de antaño, se decide a confeccionar el bálsamo de Fierabrás a base de una mezcla de vino, aceite, sal y romero que mete en una alcuza diciendo sobre ella «más de ochenta paternostres y otras tantas avemarías, salves y credos, y a cada palabra acompañaba un cruz, a modo de bendición» (I, 17). Hecho esto bebe del bálsamo, y tras vomitar y dejar libre el estómago, se queda dormido, y tres horas después se encuentra completamente aliviado de sus males. En vista de este resultado, Sancho Panza bebe también del bálsamo, pero es el caso «que el estómago del pobre Sancho no debía de ser tan delicado como el de su amo, y así, primero que vomitase, le dieron tantas ansias y bascas, con tantos trasudores y desmayos, que él pensó bien y verdaderamente que era llegada su última hora...».

A la mañana siguiente y cuando abandonaban la venta, algunos de sus moradores, gente de baja extracción, gastan a Sancho la broma de mantearle alegremente, suceso que dolerá mucho al escudero y que recordará a menudo con dolor e indignación.

Aventura de los rebaños.

Otra vez en el campo ven venir, uno hacia el otro, dos rebaños que don Quijote cree, en su exaltada imaginación, que se trata de dos poderosos ejércitos dispuestos a reñir una fiera batalla. Con desbordante inventiva describe a los combatientes de uno y otro bando, sus armas y sus escudos, en una brillantísima enumeración llena de nombres pintorescos, cómicos y altisonantes y de referencias a pueblos reales y fabulosos de la antigüedad. Véanse las dos descripciones de los ejércitos que hace don Quijote:

—Aquel caballero que allí ves de las armas jaldes, que trae en el escudo un león coronado, rendido a los pies de una doncella, es el valeroso Laurcalco, señor de la Puente de Plata; el otro de las armas de las flores de oro, que trae en el escudo tres coronas de plata en campo azul, es el temido Micocolembo, gran duque de Quirocia; el otro de los miembros giganteos, que está a su derecha mano, es el nunca medroso Brandabarbarán de Boliche, señor de las tres Arabias, que viene armado de aquel cuero de serpiente, y tiene por escudo una puerta, que, según es fama, es una de las del templo que derribó Sansón, cuando con su muerte se vengó de sus enemigos. Pero vuelve los ojos a estotra parte, y verás delante y en la frente destotro ejército al siempre vencedor y jamás vencido Timonel de Carcajona, príncipe de la Nueva Vizcaya, que viene armado con las armas partidas a cuarteles, azules, verdes, blancas y amarillas, y trae en el escudo un gato de oro en campo leonado, con una letra que dice: *Miau,* que es el principio del nombre de su dama, que, según se dice, es la sin par Miulina, hija del duque Alfeñiquén del Algarbe; el otro, que carga y oprime los lomos de aquella poderosa alfana, que trae las armas como nieve blancas y el escudo blanco y sin empresa alguna, es un caballero novel, de nación francés, llamado Pierres Papín, señor de las baronías de Utrique; el otro, que bate las ijadas con los herrados carcaños a aquella pintada y ligera cebra y trae las armas de los veros azules, es el poderoso duque de Nerbia, Espartafilardo del Bosque, que trae por empresa en el escudo una esparraguera, con una letra en castellano que dice así: *Rastrea mi suerte.*

Y desta manera fue nombrando muchos caballeros del uno y del otro escuadrón, que él se imaginaba, y a todos les dio sus armas, colores, empresas y motes, de improviso, llevado de la imaginación de su nunca vista locura, y, sin parar, prosiguió diciendo:

—A este escuadrón frontero forman y hacen gentes de diversas naciones: aquí están los que bebían las dulces aguas del famoso Xanto; los montuosos que pisan los masílicos campos; los que criban el finísimo y menudo oro en la felice Arabia; los que gozan las famosas y frescas riberas del claro Termodonte; los que sangran por muchas y diversas vías al dorado Pactolo; y los númidas, dudosos en sus promesas; los persas, arcos y flechas famosos; los partos, los medos, que pelean huyendo; los árabes, de mudables casas; los citas, tan crueles como blancos; los etiopes, de horadados labios, y otras infinitas naciones, cuyos rostros conozco y veo, aunque de los nombres no me acuerdo. En estotro escuadrón vienen los que beben las corrientes cristalinas del olivífero Betis; los que tersan y pulen sus rostros con el licor del siempre rico y dorado Tajo; los que gozan las provechosas aguas del divino Genil; los que pisan los tartesios campos, de pastos abundantes; los que se alegran en los elíseos jerezanos prados; los manchegos, ricos y coronados de rubias espigas; los de hierro vestidos, reliquias antiguas de la sangre goda; los que en Pisuerga se bañan, famoso por la mansedumbre de su corriente; los que su ganado apacientan en las estendidas dehesas del tortuoso Guadiana, celebrado por su escondido curso; los que tiemblan con el frío del silvoso Pirineo y con los blancos copos del levantado Apenino; finalmente, cuantos toda la Europa en sí contiene y encierra (I, 18).

A nadie le puede caber la menor duda de que todo esto está escrito en broma. Pero la intención paródica y burlesca de estas descripciones se advierte perfectamente cuando se comparan con pasajes semejantes escritos «en serio» por otros autores. Juan de Mena, en la dedicatoria de su *Ylíada en romance* u *Homero romanzado* enumera las diversas gentes extranjeras que acuden con presentes a la corte de Juan II de Castilla del siguiente modo:

Vienen los vagabundos áforos que con los mapales y casas movedizas se cobijan desde los fines de la arenosa Libia, dejando a sus espaldas el monte Atalante, a vos presentar leones iracundos. Vienen los de Garamantris y los pobres arajes, concordes en color con los etiopes por ser vecinos de la adusta e muy caliente zona, a vos ofrecer las tigres odoríferas. Vienen los que moran cerca del bicorne monte Bromio y acechan los quemados espiráculos de las bocas cirreas, polvorientas de la ceniza de Fetón, pensando saber los secretos de los tripodas- et fuellan la deshelada Tebas, a vos traer esfingos, bestias cuestionantes. Traen a vuestra alteza los orientales indios los elefantes mansos con las argollas de oro, cargados de linaloes, los cuales la cresciente de los cuatro ríos por grandes aluviones de allá donde manan destorpa y somueve... Vienen los de Siria, gente amarilla de escodriñar el tíbar, que es fino oro, a vos presentar lo que escarban y trabajan...

En el libro de caballerías *El caballero del Febo* se describen los ejércitos del emperador Alicandro, que va a luchar contra el emperador Trebacio, del siguiente modo:

Venía primeramente el emperador Alicandro, rey y señor de todos ellos, el cual traía cincuenta mil caballeros de los tártaros y treinta mil de los escitas... Venía allí el muy poderoso jayán Bradamán Campeón, señor de las Ínsulas Orientales, y traía consigo aquel valentísimo y superbo joven Bramarante... Venía el rey de los Palibotos, que según afirman muchos escritores, cada día que quiere saca al campo cien mil hombres de pie de guerra... Venía el fuerte Rodarán, rey de Arabia, y con él la reina Carmania, con cinco mil caballeros cada uno. Venía el rey de Media, el rey de los Partos... Venían todas las naciones del río Ganges y del monte Tauro, y no parando en esto, vinieron el rey de la Trapobana y el rey de Egipto y el de Etiopía...

Algunos de los conceptos puestos por Cervantes en boca de don Quijote son parodia de la larga descripción de caballeros que figura al final del libro de caballerías *Palmerín de Ingalaterra:*

Albaizar, soldán de Babilonia, salió armado de armas verdes sembradas de esferas en señal de su victoria... El soldán de Persia sacó armas verdes y blancas, metidas unas colores por las otras, con estremos de pedrería hechas a manera de P, por ser la primera letra del nombre de Polinarda, de quien entonces era más aficionado que a nenguna otra persona del mundo... El rey de Eutolia, sacó armas bermejas y morado, en el segundo campo rojo un toro negro. El rey de Armenia salió armado de armas pardas con rosas de oro menudas, en el escudo en campo pardo el Ave Fénix, en señal de ser una en el mundo la señora a quien servía... (II, 62).

Es natural que Cervantes parodie estas pomposas descripciones de los libros de caballerías, pues al fin y al cabo ello entra en el inmediato propósito literario del *Quijote*. Pero hay en las descripciones de don Quijote una malicia más sutil si reparamos en que en ellas también se están satirizando ciertos pasajes del libro tercero de la *Arcadia* de Lope de Vega, obra que había aparecido en 1598. Lope de Vega describe unos retratos de héroes y capitanes ilustres:

Aquel que ves allí enfrente es el gran Licurgo, legislador de los lacedemonios... Aquel del yelmo de oro, con la sierpe por divisa y la lanza de invencible peso, casi igualada a la antena de una nave, es el britano Arturo. Aquel de agradable rostro, con el bastón de fresno y la mano en el pomo de la espada, es el victorioso francés Carlomagno... Aquel robusto que, con aquel bastón de roble y las piernas de manchados tigres, con cuya cabeza hasta la frente tiene cubierta la suya, tanto parece a Hércules, es el portugués Viriato... Este de espantoso rostro, barba erizada y negra, vestido bárbaro y fiereza nunca vista, es el rey de los escitas, tirano de Samarcanda y Tamorlán famoso... Este ligero que sobre aquel caballo juega la espada, y en cuyo pavés resplandecen diecinueve castillos en campo rojo, es el leonés Bernardo del Carpio...

Cervantes ha caricaturizado no tan sólo los libros de caballerías sino unas páginas de Lope, más de una vez zaherido en el *Quijote*.

Don Quijote, en presencia de los rebaños, decide favorecer a uno de los dos ejércitos, y a pesar de los ruegos y advertencias de Sancho, que intenta convencerle de que se trata de ovejas y carneros, los acomete y, como era de esperar, es derribado por los pastores a pedradas. En todas estas aventuras, de estructura similar, en las que don Quijote desfigura la realidad acomodándola al estilo de los libros de caballerías, al llegar el desengaño y ver las cosas tal como son, atribuye la realidad al poder mágico de ciertos encantadores enemigos suyos, que le transforman lo ideal; y así don Quijote quedará convencido de que luchó contra un verdadero ejército, pero convencido también de que los encantadores, a fin de humillar su gloria, lo han transformado en un rebaño.

La aventura del cuerpo muerto o de los encamisados.

Aquella misma noche cabalgando don Quijote y Sancho por el oscuro camino vieron llegar un gran grupo de hombres revestidos de camisas por encima del atuendo y que llevaban antorchas encendidas, detrás de las cuales venía una litera cubierta de luto. A don Quijote «figurósele que la litera eran andas donde debía de ir algún mal ferido o muerto caballero, cuya venganza a él solo estaba reservada» (I, 19); y cuando luego pregunta a uno de los acompañantes quién mató al caballero, le responde: «Dios, por medio de unas calenturas pestilentes que le dieron». Con ello se rompe la tensión heroica: el que va en la litera no ha muerto luchando, sino de una normal y corriente enfermedad, y no existe posibilidad de tomar venganza.

Este episodio, es una réplica paródica, consciente e intencionada, de otro que se narra en el *Palmerín de Ingalaterra.* Cuéntase en este libro que el caballero Floriano, vagando por despoblado, vio «venir hacia sí unas andas cubiertas de un paño negro, acompañadas de tres escuderos que hacían llanto por un cuerpo muerto que dentro dellas iba; llegando a ellas, Floriano quiso saber la causa de su lloro, y descubriendo el paño vio dentro un cuerpo muerto armado de unas armas verdes, tan envueltas en sangre que casi no se devisaba la color dellas, con tan grandes golpes, que bien parecía que en gran batalla las recibiera; movido a piedad de lo ver tal, detuvo al uno de los escuderos para preguntalle la razón de su muerte» (I, 76). Responde el escudero que el que llevan en las andas es Fortibrán el Esforzado, muerto el día anterior por cuatro caballeros, y propone a Floriano que «vengue tan gran maldad, por lo cual, si os atrevéis hacerlo, allende de acrecentar vuestra fama, daréis causa que no se cometan otras traiciones como ésta». Don Quijote esperaba, precisamente, que al preguntar quién había muerto al caballero de la litera, le respondieran lo mismo que a Floriano. Pero una cosa es el mundo de los libros de caballerías y otra el mundo de la realidad. Que Cervantes está parodiando este episodio del *Palmerín* lo revela hasta en el epígrafe del capítulo del *Quijote*: «De la aventura que le sucedió con un cuerpo muerto», casi idéntico al que en esta ocasión aparece en aquel libro de caballerías: «De lo que aconteció a Floriano del Desierto en aquella aventura del cuerpo muerto de las andas».

El caballero de la Triste Figura.

En el transcurso de la anterior aventura Sancho Panza tuvo ocasión de contemplar a don Quijote a la luz de la antorcha de uno de los encamisados, y pareciéndole que presentaba «la más mala figura, de poco acá, que jamás he visto», le dio el nombre de «el caballero de la Triste Figura», denominación que agradó a don Quijote y que decidió adoptar como apelativo, al estilo de los caballeros andantes que, por diversas razones, tomaban nombres semejantes. El mismo don Quijote cita algunos ejemplos de estos nombres, aunque, no menciona el de «el Caballero de la Rica Figura», que en cierta ocasión adoptó Belianís de Grecia, ni el de Caballero de la Triste Figura, adoptado por el príncipe Deocliano, personaje del libro *Clarián de Landanis,* evidente inspirador de Cervantes, quien al adjudicar este apelativo para su héroe es posible que también tuviera presente que los hombres de temperamento seco como don Quijote eran, según Huarte de San Juan, de carácter melancólico.

La aventura de los batanes.

La aventura de los batanes (I, 20) no es más que un cómico e infundado temor que se apodera de don Quijote y Sancho; pero ello da pie a un magnífico diálogo entre ambos y a que el escudero explique el tradicional cuento de la pastora Torralba. En este punto de la novela la personalidad de Sancho se ha fijado ya de un modo inconfundible. Precisamente pocas páginas antes (al final del capítulo 19) ha dicho el primero de sus refranes («Váyase el muerto a la sepultura y el vivo a la hogaza»), que constituirán una de las características más salientes de su hablar. En sus reflexiones durante la temerosa noche de los batanes y los comentarios subsiguientes al final de la inocua aventura, así como en la narración del citado cuento de la Torralba, se determina la típica agudeza cazurra del escudero, ahora ya perfectamente delineado.

La aventura del yelmo de Mambrino.

Al día siguiente don Quijote y Sancho topan con un barbero que, para resguardarse de la lluvia, se había puesto la bacia en la cabeza, que por ser de metal brillante y estar muy limpia, relumbraba extraordinariamente. Don Quijote se imaginó que se trataba de un caballero que llevaba un rico yelmo de oro, y creyó que éste era el famoso yelmo que, según los poemas caballerescos italianos, Reinaldos de Montalbán había ganado matando al rey moro Mambrino.

Poco trabajo le costó a don Quijote apoderarse de lo que él imaginaba yelmo de Mambrino, pues así que el barbero lo vio llegar lanza en ristre, se dejó caer del asno que montaba y huyó ligerísimo, dejando en el suelo la bacía. Don Quijote se apoderó de ella, por creer que la había ganado en buena lid, y se la puso en la cabeza, lo que produjo la risa de Sancho, que bien veía que se trataba del tan vulgar y corriente adminículo de los barberos, y, por su cuenta, se apoderó de la albarda del asno del fugitivo. Pero don Quijote creerá siempre que se trata del rico y valioso yelmo de Mambrino y no dejará de cubrirse con él la cabeza, lo que produciría la risa o la estupefacción de cuantos le encuentren. Tras esta aventura don Quijote, en un largo parlamento a Sancho, traza un perfecto esquema de la trama más común de los libros de caballerías.

La aventura de los galeotes.

Este episodio es uno de los más acertados y más famosos del *Quijote*. Amo y escudero se topan con una comitiva formada por doce hombres encadenados que caminan custodiados por guardianes que los conducen, como delincuentes que son, a cumplir la condena remando en las galeras del Rey. Don Quijote los detiene y se informa detalladamente de sus fechorías, que con desparpajo y sorna le cuentan los propios maleantes, entre los que se destaca Ginés de Pasamonte, el más cargado de delitos y de cadenas. Don Quijote, interpretando elementalmente uno de los fines de la caballería medieval (dar libertad al forzado o esclavizado), aunque ello suponga el olvido de los principios de justicia y de castigo de los malhechores, que constituían una de las misiones esenciales del caballero, da libertad a los galeotes, lo que le es relativamente fácil porque cuenta con la colaboración de éstos.

Llegó, en esto, la cadena de los galeotes, y don Quijote, con muy corteses razones, pidió a los que iban en su guarda fuesen servidos de informalle y decille la causa o causas por que llevan aquella gente de aquella manera.

Una de las guardas de a caballo respondió que eran galeotes, gente de Su Majestad, que iba a galeras, y que no había más que decir, ni él tenía más que saber.

—Con todo eso —replicó don Quijote—, querría saber de cada uno dellos en particular la causa de su desgracia.

Añadió a éstas otras tales y tan comedidas razones para moverlos a que le dijesen lo que deseaba, que la otra guarda de a caballo le dijo:

—Aunque llevamos aquí el registro y la fe de las sentencias de cada uno destos malaventurados, no es tiempo éste de detenerles a sacarlas ni a leellas; vuestra merced llegue y se lo pregunte a ellos mesmos, que ellos lo dirán si quisieren, que sí querrán, porque es gente que recibe gusto de hacer y decir bellaquerías.

Con esta licencia, que don Quijote se tomara aunque no se la dieran, se llegó a la cadena, y al primero le preguntó que por qué pecados iba de tan mala guisa. Él le respondió que por enamorado iba de aquella manera.

—¿Por eso no más? —replicó don Quijote—. Pues si por enamorados echan a galeras, días ha que pudiera yo estar bogando en ellas.

—No son los amores como los que vuestra merced piensa —dijo el galeote—; que los míos fueron que quise tanto a una canasta de colar, atestada de ropa blanca, que la abracé conmigo tan fuertemente, que a no quitármela la justicia por fuerza, aún hasta agora no la hubiera dejado de mi voluntad. Fue en fragante, no hubo lugar de tormento; concluyóse la causa, acomodáronme las espaldas con ciento, y por añadidura tres precisos de gurapas, y acabóse la obra.

—¿Qué son gurapas? —preguntó don Quijote.

—Gurapas son galeras —respondió el galeote.

El cual era un mozo de hasta edad de veinte y cuatro años, y dijo que era natural de Piedrahita. Lo mesmo preguntó don Quijote al segundo, el cual no respondió palabra, según iba de triste y malencónico; mas respondió por él el primero, y dijo:

—Éste, señor, va por canario, digo, por músico y cantor.

—Pues ¿cómo? —repitió don Quijote—. ¿Por músicos y cantores van también a galeras?

—Sí, señor —respondió el galeote—; que no hay peor cosa que cantar en el ansia.

—Antes he yo oído decir —dijo don Quijote— que quien canta, sus males espanta.

—Acá es al revés —dijo el galeote—; que quien canta una vez, llora toda la vida.

—No lo entiendo —dijo don Quijote.

Mas una de las guardas le dijo:

—Señor caballero, cantar en el ansia se dice entre esta gente non santa confesar en el tormento. A este pecador le dieron tormento y confesó su delito, que era ser cuatrero, que es ser ladrón de bestias, y por haber confesado le condenaron por seis años a galeras, amén de docientos azotes, que ya lleva en las espaldas; y va siempre pensativo y triste, porque los demás ladrones que allá quedan y aquí van le maltratan y aniquilan, y escarnecen, y tienen en poco, porque confesó y no tuvo ánimo de decir nones. Porque dicen ellos que tantas letras tiene un *no* como un *sí*, y que harta ventura tiene un delincuente, que está en su lengua su vida o su muerte, y no en la de los testigos y probanzas; y para mí tengo que no van muy fuera de camino.

—Y yo lo entiendo así —respondió don Quijote.

El cual, pasando al tercero, preguntó lo que a los otros; el cual, de presto y con mucho desenfado, respondió y dijo:

—Yo voy por cinco años a las señoras gurapas por faltarme diez ducados.

—Yo daré veinte de muy buena gana —dijo don Quijote— por libraros desa pesadumbre.

—Eso me parece —respondió el galeote— como quien tiene dineros en mitad del golfo y se está muriendo de hambre, sin tener adonde comprar lo que ha menester. Dígolo, porque si a su tiempo tuviera yo esos veinte ducados que vuestra merced ahora me ofrece, hubiera untado con ellos la péndola del escribano y avivado el ingenio del procurador, de manera que hoy me viera en mitad de la plaza de Zocodover, de Toledo, y no en este camino, atraillado como galgo; pero Dios es grande: paciencia y basta.

Pasó don Quijote al cuarto, que era un hombre de venerable rostro, con una barba blanca que le pasaba del pecho; el cual, oyéndose preguntar la causa por que allí venía, comenzó a llorar y no respondió palabra; mas el quinto condenado le sirvió de lengua, y dijo:

—Este hombre honrado va por cuatro años a galeras, habiendo paseado las acostumbradas, vestido, en pompa y a caballo.

—Eso es — dijo Sancho Panza —, a lo que a mí me parece, haber salido a la vergüenza.

—Así es — respondió el galeote —; y la culpa por que le dieron esta pena es por haber sido corredor de oreja, y aun de todo el cuerpo. En efecto, quiero decir que este caballero va por alcahuete, y por tener asimesmo sus puntas y collar de hechicero.

—A no haberle añadido esas puntas y collar — dijo don Quijote —, por solamente el alcahuete limpio no merecía él ir a bogar en las galeras, sino a mandallas y a ser general dellas. Porque no es así como quiera el oficio de alcahuete; que es oficio de discretos y necesarísimo en la república bien ordenada, y que no le debía ejercer sino gente muy bien nacida; y aun había de haber veedor y examinador de los tales, como le hay de los demás oficios, con número deputado y conocido, como corredores de lonja, y desta manera se escusarían muchos males que se causan por andar este oficio y ejercicio entre gente idiota y de poco entendimiento, como son mujercillas de poco más a menos, pajecillos y truhanes de pocos años y de poca experiencia, que a la más necesaria ocasión, y cuando es menester dar una traza que importe, se les yelan las migas entre la boca y la mano, y no saben cuál es su mano derecha. Quisiera pasar adelante y dar las razones por que convenía hacer elección de los que en la república habían de tener tan necesario oficio; pero no es el lugar acomodado para ello: algún día lo diré a quien lo pueda proveer y remediar. Sólo digo ahora que la pena que me ha causado ver estas blancas canas y este rostro venerable en tanta fatiga, por alcahuete, me la ha quitado el adjunto de ser hechicero. Aunque bien sé que no hay hechizos en el mundo que puedan mover y forzar la voluntad, como algunos simples piensan; que es libre nuestro albedrío, y no hay yerba ni encanto que le fuerce. Lo que suelen hacer algunas mujercillas simples y algunos embusteros bellacos es algunas misturas y venenos, con que vuelven locos a los hombres, dando a entender que tienen fuerza para hacer querer bien, siendo, como digo, cosa imposible de forzar la voluntad.

—Así es — dijo el buen viejo —; y, en verdad, señor, que en lo de hechicero que no tuve culpa; en lo de alcahuete, no lo pude negar. Pero nunca pensé que hacía mal en ello: que toda mi intención era que todo el mundo se holgase y viviese en paz y quietud, sin pendencias ni penas; pero no me aprovechó nada este buen deseo para dejar de ir adonde no espero volver, según me cargan los años y un mal de orina que llevo, que no me deja reposar un rato.

Y aquí tornó a su llanto, como de primero; y túvole Sancho tanta compasión, que sacó un real de a cuatro del seno y se le dio de limosna.

Pasó adelante don Quijote, y preguntó a otro su delito, el cual respondió con no menos, sino con mucha más gallardía que el pasado:

—Yo voy aquí porque me burlé demasiadamente con dos primas hermanas mías, y con otras dos hermanas que no lo eran mías; finalmente, tanto me burlé con todas, que resultó de la burla crecer la parentela tan intricadamente, que no hay diablo que la declare. Probóseme todo, faltó favor, no tuve dinero, víame a pique de perder los tragaderos, sentenciáronme a galeras por seis años, consentí: castigo es de mi culpa; mozo soy: dure la vida, con ella todo se alcanza. Si vuestra merced, señor caballero, lleva alguna cosa con que socorrer a estos pobretes, Dios se lo pagará en el cielo, y nosotros tendremos en la tierra cuidado de rogar a Dios en nuestras oraciones por la vida y salud de vuestra merced, que sea tan larga y tan buena como su buena presencia merece.

Éste iba en hábito de estudiante, y dijo una de las guardas que era muy grande hablador y muy gentil latino.

Tras todos éstos, venía un hombre de muy parecer, de edad de treinta años, sino que al mirar metía el un ojo en el otro un poco. Venía diferentemente atado de los demás, porque traía una cadena al pie, tan grande, que se la liaba por todo el cuerpo, y dos argollas a la garganta, la una en la cadena, y la otra de las que llaman guardaamigo o pie de amigo, de la cual decendían dos hierros que llegaban a la cintura, en los cuales se asían dos esposas, donde llevaba las manos, cerradas con un grueso candado, de manera que ni con las manos podía llegar a la boca, ni podía bajar la cabeza a llegar a las manos. Preguntó don Quijote que cómo iba aquel hombre con tantas prisiones más que los otros. Respondióle la guarda porque tenía aquel solo más delitos que todos los otros juntos, y que era tan atrevido y tan grande bellaco, que, aunque le llevaban de aquella manera, no iban seguros dél, sino que temían que se les había de huir.

—¿Qué delitos puede tener —dijo don Quijote—, si no han merecido más pena que echalle a las galeras?

—Va por diez años —replicó la guarda—, que es como muerte cevil. No se quiera saber más sino que este buen hombre es el famoso Ginés de Pasamonte, que por otro nombre llaman Ginesillo de Parapilla.

—Señor comisario —dijo entonces el galeote—, váyase poco a poco, y no andemos ahora a deslindar nombres y sobrenombres. Ginés me llamo y no Ginesillo, y Pasamonte es mi alcurnia y no Parapilla, como voacé dice; y cada uno se dé una vuelta a la redonda, y no hará poco.

—Hable con menos tono —replicó el comisario—, señor ladrón de más de la marca, si no quiere que le haga callar, mal que le pese.

—Bien parece —respondió el galeote— que va al hombre como Dios es servido; pero algún día sabrá alguno si me llamo Ginesillo de Parapilla o no.

—Pues ¿no te llaman ansí, embustero? —dijo la guarda.

—Sí llaman —respondió Ginés—; mas yo haré que no me lo llamen, o me las pelaría donde yo digo entre mis dientes. Señor caballero, si tiene algo que darnos, dénoslo ya, y vaya con Dios; que ya enfada con tanto querer saber vidas ajenas; y si la mía quiere saber, sepa que yo soy Ginés de Pasamonte, cuya vida está escrita por estos pulgares.

—Dice verdad —dijo el comisario—; que él mesmo ha escrito su historia, que no hay más, y deja empeñado el libro en la cárcel, en docientos reales.

—Y le pienso quitar —dijo Ginés— si quedara en docientos ducados.

—¿Tan bueno es? —dijo don Quijote.

—Es tan bueno —respondió Ginés—, que mal año para *Lazarillo de Tormes* y para todos cuantos de aquel género se han escrito o escribieren. Lo que le sé decir a voacé es que trata verdades, y que son verdades tan lindas y tan donosas, que no pueden haber mentiras que se le igualen.

—¿Y cómo se intitula el libro? — preguntó don Quijote.

—*La vida de Ginés de Pasamonte* — respondió él mismo.

—¿Y está acabado? — preguntó don Quijote.

—¿Cómo puede estar acabado — respondió él —, si aún no está acabada mi vida? Lo que está escrito es desde mi nacimiento hasta el punto que esta última vez me han echado en galeras.

—Luego ¿otra vez habéis estado en ellas? — dijo don Quijote.

—Para servir a Dios y al rey, otra vez he estado cuatro años, y ya sé a qué sabe el bizcocho y el corbacho — respondió Ginés —; y no me pesa mucho de ir a ellas, porque allí tendré lugar de acabar mi libro, que me quedan muchas cosas que decir, y en las galeras de España hay más sosiego de aquel que sería menester, aunque no es menester mucho más para lo que yo tengo de escribir, porque me lo sé de coro.

—Hábil pareces — dijo don Quijote.

—Y desdichado — respondió Ginés —; porque siempre las desdichas persiguen al buen ingenio.

—Persiguen a los bellacos — dijo el comisario.

—Ya le he dicho, señor comisario — respondió Pasamonte —, que se vaya poco a poco; que aquellos señores no le dieron esa vara para que maltratase a los pobretes que aquí vamos, sino para que nos guiase y llevase adonde Su Majestad manda. Si no, ¡por vida de... basta!, que podría ser que saliesen algún día en la colada las manchas que se hicieron en la venta; y todo el mundo calle, y viva bien, y hable mejor, y caminemos; que ya es mucho regodeo éste.

Alzó la vara en alto el comisario para dar a Pasamonte, en respuesta de sus amenazas; mas don Quijote se puso en medio, y le rogó que no le maltratase, pues no era mucho que quien llevaba tan atadas las manos tuviese algún tanto suelta la lengua. Y volviéndose a todos los de la cadena, dijo:

—De todo cuanto me habéis dicho, hermanos carísimos, he sacado en limpio que, aunque os han castigado por vuestras culpas, las penas que vais a padecer no os dan mucho gusto, y que vais a ellas muy de mala gana y muy contra vuestra voluntad; y que podría ser que el poco ánimo que aquél tuvo en el tormento, la falta de dineros déste, el poco favor del otro y, finalmente, el torcido juicio del juez, hubiese sido causa de vuestra perdición, y de no haber salido con la justicia que de vuestra parte teníades. Todo lo cual se me representa a mí ahora en la memoria, de manera que me está diciendo, persuadiendo y aun forzando, que muestre con vosotros el efeto para que el Cielo me arrojó al mundo, y me hizo profesar en él la orden de caballería que profeso, y el voto que en ella hice de favorecer a los menesterosos y opresos de los mayores. Pero, porque sé que una de las partes de la prudencia es que lo que se puede hacer por bien no se haga por mal, quiero rogar a estos señores guardianes y comisario sean servidos de desataros y dejaros ir en paz; que no faltarán otros que sirvan al rey en mejores ocasiones; porque me parece duro caso hacer esclavos a los que Dios y naturaleza hizo libres. Cuanto más, señores guardas — añadió don Quijote —, que estos pobres no han cometido nada contra vosotros. Allá se lo haya cada uno con su pecado; Dios hay en el cielo, que no se descuida de castigar al malo, ni de premiar al bueno, y no es bien que los hombres honrados sean verdugos de los otros hombres, no yéndoles nada en ello. Pido esto con esta mansedumbre y sosiego, porque tenga, si lo cumplís, algo que agradeceros; y cuando de grado no lo hagáis, esta lanza y esta espada, con el valor de mi brazo, harán que lo hagáis por fuerza.

—¡Donosa majadería! —respondió el comisario—. ¡Bueno está el donaire con que ha salido a cabo de rato! ¡Los forzados del rey quiere que le dejemos, como si tuviéramos autoridad para soltarlos, o él la tuviera para mandárnoslo! Váyase vuestra merced, señor, norabuena su camino adelante, y enderécese ese bacín que trae en la cabeza, y no ande buscando tres pies al gato.

—¡Vos sois el gato, y el rato, y el bellaco! —respondió don Quijote.

Y, diciendo y haciendo, arremetió con él tan presto, que, sin que tuviese lugar de ponerse en defensa, dio con él en el suelo, malherido de una lanzada; avínole bien, que éste era el de la escopeta. Las demás guardas quedaron atónitas y suspensas del no esperado acontecimiento; pero, volviendo sobre sí, pusieron mano a sus espadas los de a caballo, y los de a pie a sus dardos, y arremetieron a don Quijote, que con mucho sosiego los aguardaba; y sin duda lo pasara mal, si los galeotes, viendo la ocasión que se les ofrecía de alcanzar libertad, no la procuraran, procurando romper la cadena donde venían ensartados. Fue la revuelta de manera, que las guardas, ya por acudir a los galeotes, que se desataban, ya por acometer a don Quijote, que los acometía, no hicieron cosa que fuese de provecho.

Ayudó Sancho, por su parte, a la soltura de Ginés de Pasamonte, que fue el primero que saltó en la campaña libre y desembarazado, y arremetiendo al comisario caído, le quitó la espada y la escopeta, con la cual, apuntando al uno y señalando al otro, sin disparalla jamás, no quedó guarda en todo el campo, porque se fueron huyendo, así de la escopeta de Pasamonte como de las muchas pedradas que los ya sueltos galeotes les tiraban.

Entristecióse mucho Sancho deste suceso, porque se le representó que los que iban huyendo habían de dar noticia del caso a la Santa Hermandad, la cual, a campana herida, saldría a buscar los delincuentes, y así se lo dijo a su amo, y le rogó que luego de allí se partiesen, y se emboscasen en la sierra, que estaba cerca.

—Bien está eso —dijo don Quijote—; pero yo sé lo que ahora conviene que se haga.

Y llamando a todos los galeotes, que andaban alborotados y habían despojado al comisario hasta dejarle en cueros, se le pusieron todos a la redonda para ver lo que les mandaba, y así les dijo:

—De gente bien nacida es agradecer los beneficios que reciben, y uno de los pecados que más a Dios ofende es la ingratitud. Dígolo porque ya habéis visto, señores, con manifiesta experiencia, el que de mí habéis recebido; en pago del cual querría, y es mi voluntad, que, cargados de esa cadena que quité de vuestros cuellos, luego os pongáis en camino y vais a la ciudad del Toboso, y allí os presentéis ante la señora Dulcinea del Toboso, y le digáis que su caballero, el de la Triste Figura, se le envía a encomendar, y le contéis, punto por punto, todos los que ha tenido esta famosa aventura hasta poneros en la deseada libertad; y, hecho esto, os podréis ir donde quisiéredes, a la buena ventura.

Respondió por todos Ginés de Pasamonte, y dijo:

—Lo que vuestra merced nos manda, señor y libertador nuestro, es imposible de toda imposibilidad cumplirlo, porque no podemos ir juntos por los caminos, sino solos y divididos, y cada uno por su parte, procurando meterse en las entrañas de la tierra, por no ser hallado de la Santa Hermandad, que, sin duda alguna, ha de salir en nuestra busca. Lo que vuestra merced puede hacer y es justo que haga, es mudar ese servicio y montazgo de la señora Dulcinea del Toboso en alguna cantidad de avemarías y credos, que nosotros diremos por la intención de vuestra merced, y ésta es cosa que se podrá cumplir de noche y de día, huyendo o reposando, en paz o en guerra; pero pensar que hemos de volver ahora a las ollas de Egipto, digo, a tomar nuestra cadena, y a ponernos en camino del Toboso, es pensar que es ahora de noche, que aún no son las diez del día, y es pedir a nosotros eso como pedir peras al olmo.

—Pues ¡voto a tal! — dijo don Quijote, ya puesto en cólera —, don hijo de la puta, don Ginesillo de Paropillo, o como os llamáis, que habéis de ir vos solo, rabo entre piernas, con toda la cadena a cuestas.

Pasamonte, que no era nada bien sufrido, estando ya enterado que don Quijote no era muy cuerdo, pues tal disparate había cometido como el de querer darles libertad, viéndose tratar de aquella manera, hizo del ojo a los compañeros, y apartándose aparte, comenzaron a llover tantas piedras sobre don Quijote, que no se daba manos a cubrirse con la rodela; y el pobre de Rocinante no hacía más caso de la espuela que si fuera hecho de bronce. Sancho se puso tras su asno, y con él se defendía de la nube y pedrisco que sobre entrambos llovía. No se pudo escudar tan bien don Quijote, que no le acertasen no sé cuántos guijarros en el cuerpo, con tanta fuerza, que dieron con él en el suelo; y apenas hubo caído, cuando fue sobre él el estudiante y le quitó la bacía de la cabeza, y diole con ella tres o cuatro golpes en las espaldas y otros tantos en la tierra, con que la hizo pedazos. Quitáronle una ropilla que traía sobre las armas, y las medias calzas le querían quitar, si las grebas no lo estorbaran. A Sancho le quitaron el gabán y, dejándole en pelota, repartiendo entre sí los demás despojos de la batalla, se fueron cada uno por su parte, con más cuidado de escaparse de la Hermandad, que temían, que de cargarse de la cadena e ir a presentarse ante la señora Dulcinea del Toboso.

Solos quedaron jumento y Rocinante, Sancho y don Quijote; el jumento, cabizbajo y pensativo, sacudiendo de cuando en cuando las orejas, pensando que aún no había cesado la borrasca de las piedras, que le perseguían los oídos; Rocinante, tendido junto a su amo, que también vino al suelo de otra pedrada; Sancho, en pelota y temeroso de la Santa Hermandad; don Quijote, mohinísimo de verse tan malparado por los mismos a quien tanto bien había hecho (I, 22).

Literariamente este episodio parece arrancado de una de las mejores novelas picarescas españolas, ya que los personajes que en él intervienen pertenecen al mundo de la delincuencia y del hampa que tan realísticamente retrata aquel género. Los galeotes emplean en su lenguaje voces propias de la germanía o jerga de maleantes, que el mismo don Quijote no entiende y se ve obligado a hacerse declarar.

La crítica romántica interpretó este episodio de un modo totalmente arbitrario: vio en él a don Quijote actuando como paladín de la libertad y valiente adversario de la tiranía. Lo cierto es que don Quijote revela en este episodio un desquiciamiento del concepto de la justicia, pues defiende no causas justas sino las más injustas que darse puedan, como es la de libertar a seres socialmente peligrosos, y que luego, al apedrear a don Quijote y a Sancho, pondrán de manifiesto la vileza de su condición. La aventura de los galeotes constituye una de las mayores «quijotadas» de don Quijote, dando a la palabra el sentido que ha adquirido en español

El principal de los galeotes, Ginés de Pasamonte, que desempeñará un papel no insignificante en la primera y segunda partes del *Quijote,* posiblemente está inspirado en el real e histórico Jerónimo de Pasamonte, aragonés que fue soldado en Italia y luchó en Lepanto y Navarino y que fue cautivo en Argel de 1574 a 1592, o sea de biografía muy similar a la de Cervantes, y que en 1603 redactó unas curiosas memorias.

En Sierra Morena. La historia de Cardenio.

La libertad de los galeotes pone a don Quijote, e incluso a Sancho que colaboró en ella en la medida de sus fuerzas, fuera de la ley, y por temor a la Santa Hermandad amo y criado se internan en Sierra Morena. Allí Ginés de Pasamonte roba una noche el rucio de Sancho, y allí encuentran una maleta con papeles amorosos, poesías, ropas y dinero de un joven llamado Cardenio que, con la razón extraviada y en estado semisalvaje, vive en la Sierra. Cardenio ha enloquecido porque su amada Luscinda lo ha dejado por don Fernando, al paso que éste ha abandonado a su amada Dorotea. Los antecedentes de esta historia amorosa serán explicados por Cardenio y por Dorotea, que también se encuentra en la Sierra, vestida de hombre, y su desenlace acaecerá paralelamente a la acción principal del *Quijote*. De hecho en los capítulos 23 a 36 Cervantes irá imbricando esta historia sentimental y grave en el asunto de las aventuras de don Quijote, que en esta sección del libro se verá interrumpida por la inserción de otros relatos marginales. La novelita sobre los amores de las parejas Cardenio-Luscinda y don Fernando-Dorotea inspiró una comedia de Shakespeare, hoy perdida, que se titulaba *The history of Cardenio* y que se representó en el palacio real de Londres en 1613 (téngase en cuenta que la primera parte del *Quijote* apareció traducida al inglés, por Thomas Shelton, en Londres el año 1612).

Los personajes de la historia de Cardenio, sobre todo Dorotea, intervienen activamente en la trama de las aventuras de don Quijote.

La penitencia de don Quijote y la carta a Dulcinea.

Don Quijote decide suspender transitoriamente su vagabundeo en busca de aventuras y permanecer un tiempo solo en Sierra Morena entregado a la penitencia y al desatino. Se trata de un constante tópico de la novela caballeresca, en la que era frecuente que el caballero, desesperado por desdenes amorosos o por cualquier otro motivo, se retirara a la soledad de los bosques, donde no tan sólo se entregaba a la oración, ayuno y disciplina (penitencia) sino también a cierta furia demencial, que le llevaba a cometer toda suerte de desatinos. El tema ya aparece en *Li chevaliers au lion,* de Chrétien de Troyes, donde Yvain pasa largo tiempo en el bosque, junto a un ermitaño, en estado semisalvaje. Lo mismo ocurre en los viejos relatos sobre Lancelot (Lanzarote). Pero los modelos que más presentes tiene don Quijote son los de Amadís de Gaula y de Orlando furioso. El primero, desesperado porque su amada Oriana le ha ordenado que no vuelva a su presencia, por creerle desleal, se retira a una especie de isla llamada la Peña Pobre, donde había una ermita, y toma el nombre de Beltenebrós (del francés Bel Ténébreux o del provenzal Bel Tenebrós; pero Cervantes pronunciaba Beltenébros, como atestigua un pasaje de Guillén de Castro en que este nombre rima con «enebros»), y allí se entrega a la oración y a la penitencia y compone tristes versos. Imitando esta actitud de Amadís hicieron penitencias amorosas, muy similares, Lisuarte de Grecia, el Caballero del Febo y otros protagonistas de libros de caballerías castellanos. En el poema de Ariosto, Orlando, al enterarse de los amores de la Bella Angélica con Medoro, enloqueció y, medio desnudo, arrancó furiosamente árboles, enturbió las aguas de los arroyos, mató pastores y animales y realizó otros excesos.

Don Quijote combina la penitencia de Amadís con la furia demencial de Orlando, y no tan sólo reza, suspira y hace versos, que escribe en las cortezas de los árboles, sino que da volteretas en camisa (I, 25 y 26). En este trance don Quijote da muestras de cordura, ya que desde el momento que quiere hacer «locuras» revela que procede desde la razón. Esto es muy sutil, pero se confirma con otros incidentes que acaece en estas mismas páginas. Decide enviar a Sancho con una carta a Dulcinea del Toboso, y a fin de orientar al escudero, con un estudiado circunloquio le da a entender que la dama de sus pensamientos es la hija de Lorenzo Corchuelo y Aldonza Nogales. Sancho se queda estupefacto, pues conoce perfectamente a Aldonza Lorenzo, moza de condición muy similar a la suya, y jamás hubiera podido imaginar que se trataba de aquella Dulcinea del Toboso que tanto pondera su amo. La conversación que sobre este punto mantienen don Quijote y Sancho es de suma importancia, ya que aquél, con palabras razonables y totalmente cuerdas, le explica que del mismo modo que las Dianas, Galateas, Filis, Silvias, etc., de los poetas y de las novelas pastoriles son la sublimación de damas de carne y hueso, así Aldonza Lorenzo ha sido sublimada e idealizada por su imaginación poética: «Yo imagino que todo lo que digo es así, sin que sobre ni falte nada, y píntola en mi imaginación como la deseo, así en la belleza como en la principalidad» (I, 25). Ésta es la única vez en toda la novela que don Quijote abre su secreto y que confiesa que la sin par Dulcinea es la moza labradora Aldonza Lorenzo. Es un paréntesis de cordura, que nos revela hasta qué punto es literaria la locura de don Quijote, ya que confiesa que su 'Dulcinea es equivalente a las idealizaciones de los poetas.

La carta de don Quijote a Dulcinea es una acertada parodia del estilo de las epístolas amatorias que aparecen en los libros de caballerías. Véase su texto:

Soberana y alta señora:

El ferido de punta de ausencia y el llagado de las telas del corazón, dulcísima Dulcinea del Toboso, te envía la salud que él no tiene. Si tu hermosura me desprecia, si tu valor no es en mi pro, si tus desdenes son en mi afincamiento, maguer que yo sea asaz de sufrido, mal podré sostenerme en esta cuita, que, además de ser fuerte, es muy duradera. Mi bien escudero Sancho te dará entera relación, ¡oh bella ingrata, amada enemiga mía!, del modo que por tu causa quedo: si gustares de acorrerme, tuyo soy; y si no, haz lo que te viniere en gusto; que con acabar mi vida habré satisfecho a tu crueldad y a mi deseo.

Tuyo hasta la muerte,

El caballero de la Triste Figura

Adviértanse los arcaísmos de esta carta y su semejanza con otras que, con toda seriedad, hallamos en los libros parodiados por Cervantes. En el *Florisel de Niquea*: «Soberana y hermosa reina : ... La salud que quitarme querías, te envío con dalla al que me la quería quitar para acrecentalla más en la obligación de tu servicio». En *El caballero de la Cruz*: «El Caballero de Cupido a la sin par princesa Cupidea da salud, si alguna me queda estando privado del resplandor de tu divina vista, con... verme agora ansí como alanzado de tan divino favor, no sé qué me hacer, salvo dar fin a esta mísera vida para acabar de pasar tantos males como contino padezco». Las cartas escritas por damas y doncellas son a veces del mismo tipo. En *Don Olivante de Laura*: «La princesa Lucenda a quien la ventura en su mayor alegría le mostró la más crecida tristeza, al descuidado príncipe de Macedonia la salud que con su ausencia le falta, con toda voluntad envía». Y la propia Oriana, en el sobrescrito de la carta en que comunicó a Amadís su decisión de no verle más (lo que produjo la penitencia en la Peña Pobre), puso: «Yo soy la doncella ferida de punta de espada por el corazón, y vos sois el que me feristes».

Como puede verse ni un solo momento pierde el *Quijote* su carácter paródico, pues precisamente en la sátira de los libros de caballerías se basa toda su estructura y el sucederse de sus episodios. Los españoles de principios del siglo XVII, conocedores del popularísimo *Amadís de Gaula,* podían advertir en la penitencia de don Quijote en Sierra Morena y en la carta a Dulcinea unas intenciones burlescas que hoy escapan a la mayoría de los que leen nuestra novela.

El cura y el barbero en busca de don Quijote.

Sancho Panza, dejando a don Quijote en Sierra Morena, emprende el camino hacia el Toboso para entregar la carta a Dulcinea. Al llegar a la venta donde tantas pendencias hubo y fue manteado, se encuentra con el cura y el barbero de su lugar, los cuales habían salido en busca de don Quijote. Sancho les explica las aventuras de éste, les dice que queda haciendo penitencia y que lleva la carta. Pero como fuera que ésta se había quedado olvidada con don Quijote, Sancho se esfuerza en repetirla de memoria, lo que da lugar a constantes disparates.

Cuando Sancho vio que no hallaba el libro, fuésele parando mortal el rostro; y tornándose a tentar todo el cuerpo muy apriesa, tornó a echar de ver que no le hallaba, y, sin más ni más, se echó entrambos puños a las barbas, y se arrancó la mitad de ellas, y luego, apriesa y sin cesar, se dio media docena de puñadas en el rostro y en las narices, que se las bañó todas en sangre. Visto lo cual por el cura y el barbero, le dijeron que qué le había sucedido, que tan mal se paraba.

—¿Qué me ha de suceder —respondió Sancho—, sino el haber perdido de una mano a otra, en un estante, tres pollinos, que cada uno era como un castillo?

—¿Cómo es eso? —replicó el barbero.

—He perdido el libro de memoria —respondió Sancho—, donde venía carta para Dulcinea, y una cédula firmada de su señor, por la cual mandaba que su sobrina me diese tres pollinos, de cuatro o cinco que estaban en casa.

Y con esto, les contó la pérdida del rucio. Consolóle el cura, y díjole que, en hallando a su señor, él le haría revalidar la manda y que tornase a hacer la libranza en papel, como era uso y costumbre, porque las que se hacían en libros de memoria jamás se acetaban ni cumplían.

Con esto se consoló Sancho, y dijo que, como aquello fuese ansí, que no le daba mucha pena la pérdida de la carta de Dulcinea, porque él la sabía casi de memoria, de la cual se podría trasladar donde y cuando quisiesen.

—Decidlo, Sancho, pues —dijo el barbero—; que después la trasladaremos.

Paróse Sancho Panza a rascar la cabeza, para traer a la memoria la carta, y ya se ponía sobre un pie, y ya sobre otro; unas veces miraba al suelo, otras al cielo, y al cabo de haberse roído la mitad de la yema de un dedo, teniendo suspensos a los que esperaban que ya la dijese, dijo al cabo de grandísimo rato:

—Por Dios, señor licenciado, que los diablos lleven la cosa que de la carta se me acuerda; aunque en el principio decía: «Alta y sobajada señora».

—No diría —dijo el barbero—*sobajada,* sino sobrehumana o soberana señora.

—Así es —dijo Sancho—. Luego, si mal no me acuerdo, proseguía..., si mal no me acuerdo: «el llego y falto de sueño, y el ferido besa a vuestra merced las manos, ingrata y muy desconocida hermosa», y no sé qué decía de salud y de enfermedad que le enviaba, y por aquí iba escurriendo, hasta que acababa en «Vuestro hasta la muerte, el Caballero de la Triste Figura».

No poco gustaron los dos de ver la buena memoria de Sancho Panza, y alabáronsela mucho, y le pidieron que dijese la carta otras dos veces, para que ellos, ansimesmo, la tomasen de memoria para trasladalla a su tiempo. Tornóla a decir Sancho otras tres veces, y otras tantas volvió a decir otros tres mil disparates (I, 26).

Así, pues, Cervantes nos ofrece la desfiguración rústica de una carta que a su vez era una parodia del epistolario caballeresco.

El cura, el barbero y Sancho, se internan en Sierra Morena con la finalidad de atraer a don Quijote. Encuentran a Cardenio (el enamorado de Luscinda) y a Dorotea, la inteligente muchacha que, burlada por don Fernando, se ha ocultado en las fragosidades de los montes. Ambos explican muy prolijamente la historia de sus amores, y Dorotea se ofrece a desempeñar el papel de princesa menesterosa que pedirá ayuda a don Quijote a fin de sacarle de su penitencia y conducirlo a su aldea. Dorotea, conocedora de los lances y del estilo de los libros de caballerías, y bajo el grotesco nombre de Princesa Micomicona, se postra ante don Quijote y le suplica que empeñe su palabra en no entremeterse en aventura alguna hasta haber matado a un temible gigante que le había usurpado su reino.

Por vez primera don Quijote es engañado con una ficción caballeresca, aspecto que será muy frecuente en la segunda parte de la novela. Ahora no se trata de una imaginación fantasista del caballero, que acomoda la realidad a lo literario y fabuloso, sino de una traza engañosa merced a la cual lo ficticio se le presenta como una realidad que captan sus sentidos sin deformarla. Dorotea se ve obligada a inventar toda una fantástica e inverosímil historia, muy al estilo de los libros de caballerías, pero con una intencionada deformación humorística.

La Dulcinea de Sancho.

Don Quijote, en cuanto tiene ocasión de estar a solas con Sancho, le pregunta por su mensaje a Dulcinea. El escudero, que incumpliendo las órdenes de su amo, no ha ido para nada al Toboso, se ve precisado a inventar un viaje a este pueblo y una entrevista con aquélla. El diálogo que sostienen ambos (I, 31) es una maravilla de matices e intenciones. Don Quijote permanece fiel a su locura caballeresca y le pregunta a su escudero si halló «aquella reina de la hermosura... ensartando perlas o bordando alguna empresa con oro de cañutillo para este su cautivo caballero», si besó la carta al recibirla y si le regaló alguna joya al despedirle, «usada y antigua costumbre entre los caballeros y damas andantes», etc. Es decir, para don Quijote ya se ha eclipsado Aldonza Lorenzo y sólo existe Dulcinea. Sancho, como quiere que su amo esté convencido de que ha realizado el mensaje y como sabe que Dulcinea es Aldonza Lorenzo, inventa de pies a cabeza una entrevista con la auténtica Aldonza, moza labradora. Afirma que la encontró ahechando dos hanegas de trigo rubión, que le ayudó a poner un costal sobre un jumento, que despedía un olorcillo algo hombruno por lo sudada que estaba y que no se enteró del contenido de la carta ni la contestó porque no sabe leer ni escribir.

Dos ficciones se han contrapuesto en torno a Aldonza-Dulcinea: la idealizadora de don Quijote y la realista de Sancho. Y si aquél se ha mantenido en su locura caballeresca, éste, que ahora ha comprendido la demencia de su amo, se ha esforzado en inventar una escena y unos detalles que corresponden exactamente a lo que hubiera sido lógico que ocurriera si hubiese cumplido su misión. Ésta es la primera invención de Sancho respecto a Dulcinea; en la segunda parte de la novela se atreverá a ir más lejos.

La novela del Curioso Impertinente
y la aventura de los cueros de vino.

Reunidos el cura, el barbero, Dorotea, Cardenio y Sancho en la venta y mientras don Quijote descansa, el primero lee a los circunstantes una novela que un pasajero había dejado manuscrita en el mesón. La lectura de esta novela ocupa los capítulos 33 a 35 de la primera parte del *Quijote,* y no tiene nada que ver con la trama y la acción del libro. Las características de esta narración corresponden a las de algunas de las *Novelas ejemplares* de Cervantes. La acción de la novela se sitúa en Florencia, a principios del siglo XVI, y su asunto procede de una historia de amor que se relata en el canto XLIII del *Orlando furioso* de Ludovico Ariosto.

La lectura del *Curioso impertinente* es interrumpida, poco antes de finalizarse, por un gran alboroto que arma don Quijote quien, actuando como un sonámbulo, estaba destrozando con la espada unos grandes cueros de vino que había en la habitación donde dormía, convencido de que luchaba contra el gigante enemigo de la princesa Micomicona.

La historia del cautivo.

Apaciguado el alboroto y acabada la lectura de la novela llegan a la venta don Fernando y Luscinda (él el burlador de Dorotea, ella la amada de Cardenio) y el conflicto sentimental se arregla a gusto de todos; pero a pesar de ello Dorotea se aviene a seguir representando el papel de princesa Micomicona con el propósito de lograr que don Quijote se recluya en su aldea. Poco después entran en la venta un cautivo de Argel recién libertado, acompañado de una hermosa mora, Zoraida.

Y por la noche, ante todos, don Quijote pronuncia el famoso discurso de las armas y las letras (I, 37 y 38), en el que pone de manifiesto su agudo ingenio, su cultura literaria y su retórica oratoria al desarrollar este tópico renacentista tantas veces repetido, y muy adecuado a Cervantes, hombre de armas y letras. Ello es una especie de introducción a los tres capítulos que van a seguir (39 a 41).

En efecto, el cautivo, que se llama Ruy Pérez de Viedma, explica a los circunstantes su vida: su participación en la batalla de Lepanto, su cautiverio en Argel y amores con la hermosa Zoraida, que desea ser cristiana, y su libertad en una arriesgada huida. Entre este relato y la comedia de Cervantes *Los baños de Argel,* escrita seguramente después, hay estrecha relación. Cervantes demuestra, como era de esperar por su experiencia personal, un perfecto y detallado conocimiento de Argel, tanto de la vida que allí llevaban los cautivos, como de las costumbres islámicas y el ambiente. La mayoría de los personajes moros que cita son seres reales, entre ellos Zoraida, hija del renegado Hajji Murad (Agi Morato), alcalde de Argel, y que casó con el que fue sultán de Marruecos Abd al-Malik, el cual murió en la batalla de Alcazarquivir. Y así como en *Los baños de Argel* Cervantes le mantiene el nombre de Zahara, en el *Quijote* lo transforma por el de Zoraida y la hace enamorarse de un cautivo español y anhelar convertirse al cristianismo. Como sea que al comenzar su relato el cautivo dice que, en el momento de narrar, hace veintidós años que salió de su casa y fue a servir al duque de Alba en Flandes, el cual llegó a Bruselas en 1567, hay que suponer que Cervantes tenía redactada esta historia desde 1589, y que la aprovechó para intercalarla en el *Quijote.*

La historia del cautivo es, pues, una narración de un interés humano y documental extraordinario. Pero al propio tiempo cae dentro de una moda del tiempo, cuando tanto gustaban las novelas de escenario morisco, ya sea de moros españoles, ya de españoles en tierras mahometanas. Así se explica la inclusión de la *Historia del Abencerraje y de la hermosa Jarifa* en la *Diana* de Jorge de Montemayor; la de *Ozmín y Daraja,* inserta por Mateo Alemán en la primera parte del *Guzmán de Alfarache,* y que al final del *Marcos de Obregón* Vicente Espinel desarrolle, esta vez dentro de la trama de la acción, unos episodios de carácter argelino.

Aquella misma noche llegó a la venta un oidor, o magistrado, acompañado de su hija. Resulta luego que se trata de Juan Pérez de Viedma, hermano del cautivo, al que encuentra después de tantos años de ausencia. Se interfiere en estos capítulos la historia sentimental de doña Clara, la hija del oidor, con el joven don Luis, que también llega, disfrazado de mozo de mulas (que canta un romance y una canción), y todo acaba felizmente.

Don Quijote atado y el pleito del yelmo y la albarda.

Las historias marginales y los relatos intercalados distancian en esta sección de la novela las aventuras de don Quijote, quien, como ya sabemos, ha abandonado su penitencia de Sierra Morena requerido por la princesa Micomicona (Dorotea), a la que ha prometido reconquistar su reino, del que fue desposeída por el gigante Pandafilando de la Fosca Vista (I, 30), nombre que, aunque burlesco, poco se diferencia del de muchos jayanes que aparecen en los libros de caballerías. Así don Quijote se ha incorporado al grupo de los que se hallan en la venta, y si bien ha estado ausente cuando se leyó la novela del *Curioso impertinente,* cuya lectura interrumpió con su lucha con los cueros de vino, luego ha pronunciado el discurso de las armas y las letras y ha estado presente a la llegada del oidor. Pocas horas quedaban de aquella noche tan llena de acontecimientos; y cuando todos se recogieron don Quijote se dispuso a hacer la guardia de aquel castillo (que así seguía considerando la venta) y se apostó en el exterior montado sobre Rocinante. La hija del ventero y la criada asturiana Maritornes le juegan la mala pasada de atarle un cordel a la muñeca y dejarlo colgado de una ventana, incómoda y ridícula situación en la que fue hallado, al amanecer, por los criados de don Luis, el joven enamorado de la hija del oidor.

Aquella mañana acertó a llegar a la venta el barbero a quien don Quijote había quitado la bacía y Sancho la albarda, el cual ante todos los asistentes reclamó ambos objetos y trató de ladrones a caballero y escudero (I, 44 y 45). Don Quijote sostiene, naturalmente, que aquello no es una bacía sino el yelmo de Mambrino, que ganó en buena guerra. Los amigos de don Quijote — el cura, el barbero de su lugar, don Fernando y Cardenio — intervienen en el «pleito» y afirman todos que se trata de un yelmo, no tan sólo para dar la razón a don Quijote sino también por pura diversión. El barbero robado queda estupefacto cuando ve que tanta gente tan honrada, entre los que se cuenta otro de su misma profesión, sostengan tal disparate. Luego se llega a la conclusión que la albarda del asno no es tal sino un rico jaez de caballo. En esta ocasión Sancho, para no desmentir a su amo, inventa la palabra «baciyelmo».

Don Quijote y los cuadrilleros.

En plena discusión interviene un cuadrillero de la Santa Hermandad de algunos que habían llegado a la venta, y afirma que el que diga que la albarda no es tal es que está borracho. Don Quijote le replica irritadámente y se arma un gran alboroto. Se apaciguan los ánimos, pero poco después uno de los cuadrilleros, mirando bien el aspecto de don Quijote, se da cuenta de que se trata de la persona contra la cual lleva mandamiento de prisión por haber dado libertad a los galeotes. Ello produce un nuevo alboroto, pero la cuestión queda resuelta gracias al cura, que convence a los cuadrilleros de que don Quijote está loco. Por otra parte pagó al barbero ocho reales por la bacía y le hizo devolver la albarda.

Don Quijote enjaulado.

La ficción de la princesa Micomicona no se podía prolongar porque Dorotea debía partir con don Fernando. En vista de ello se resolvió que se hiciera una especie de jaula de palos enrejados en un carro de bueyes que acertó a pasar por allí y fue contratado para ello. Entonces don Fernando y los suyos, los criados de don Luis, los cuadrilleros y el ventero se disfrazaron y se cubrieron los rostros y se encaminaron al aposento donde dormía don Quijote y le ataron de manos y pies y le encerraron en la jaula. Una vez allí el barbero del lugar de don Quijote con voz temerosa pronunció una profecía al estilo de las de Merlín asegurando al caballero que para acabar pronto la aventura que había comenzado le convenía estar preso de aquel modo, y asegurando a Sancho, de parte de la sabia Mentironiana, que cobraría el salario que le debe su amo. Don Quijote, creyéndose encantado, acepta resignadamente la nueva situación respondiendo a la voz profética con un grave y solemne parlamento (I, 46).

Así, enjaulado en un carro tirado por bueyes, llegará don Quijote por segunda vez a su aldea. Hay aquí, sin duda alguna, una reminiscencia de un viejo tema caballeresco, el vergonzoso carro en el que Lanzarote se ve precisado a montar, siendo objeto de la mofa de todo el mundo, cuando parte para rescatar a la reina Ginebra, episodio fundamental de la novela de Chrétien de Troyes *Li chevaliers de la charrette*, que fue imitado en libros posteriores. La humillación de Lanzarote es en cierto modo similar a la humillación de don Quijote.

Regreso de Don Quijote a su aldea.

Con don Quijote enjaulado, Sancho montado en su asno (que unos días antes recuperó) y llevando de la rienda a Rocinante, y en compañía del cura, el barbero y los cuadrilleros, parten de la venta, después de haberse despedido de todos los que allí se habían hospedado. Por el camino encontraron a un canónigo, con quien el cura departió sobre literatura y principalmente sobre libros de caballerías, discusión en la que también intervino don Quijote defendiendo sus peculiares puntos de vista en una acertada mezcolanza de buen criterio y desequilibrio mental. Esta conversación sobre libros y literatura (I, 47 a 50) es de gran interés para conocer las ideas de Cervantes y sus opiniones sobre algunos escritores contemporáneos.

Encuentran luego al cabrero Eugenio, que cuenta sus amores con Leandra en un estilo artificioso y culto propio de la novela pastoril, y que luego se pelea con don Quijote.

Don Quijote, a quien se le ha permitido salir de la jaula, sostiene una pendencia con unos disciplinantes (I, 52), que es apaciguada por el cura; y otra vez en el carro de bueyes llega a su aldea y es recibido en su casa por la sobrina y el ama, y Sancho en la suya por su mujer, aquí llamada Juana Panza.

Final del Quijote de 1605.

Al final de la primera parte de la novela Cervantes afirma que no ha podido encontrar más noticias sobre don Quijote, pero que en la Mancha es fama que salió de su aldea una tercera vez y fue a Zaragoza donde se halló en unas famosas justas. Solamente en cierta caja de plomo, hallada en los escombros de una ermita, encontró unos versos escritos por «Los Académicos de la Argamasilla, lugar de la Mancha», en elogio de don Quijote, Dulcinea, Rocinante, Sancho. Son poesías humorísticas y en todo ello hay una burla de las academias o reuniones literarias tan frecuentes entonces en Madrid y en otras ciudades. Y Cervantes acaba su tarea con un verso del *Orlando furioso* de Ariosto: *Forse altri canterà con miglior plettro*, «quizá otro cantará con mejor plectro», o sea pluma.

TERCERA SALIDA DE DON QUIJOTE

(Segunda parte, capítulos 1 a 74)

El «Quijote» dentro del «Quijote».

La segunda parte del Quijote (de cuya dedicatoria y prólogo se habla en otro lugar) reanuda la trama de la narración un mes después del final de la primera. Don Quijote daba muestras de estar en su entero juicio, y a fin de asegurarse de ello el cura y el barbero van a visitarle y conversan amigablemente con él y el diálogo transcurre dentro de la más elegante discreción hasta que se toca el tema caballeresco, que hace disparatar al hidalgo quien así pone de manifiesto que su enfermedad mental está muy lejos de haberse curado. Como siempre el lector admira el excelente criterio y el elegante conversar de don Quijote cuando el diálogo no roza los temas caballerescos, aspecto que Cervantes intensificará más en esta segunda parte de la novela.

Mientras departe con el cura y el barbero entra en casa de don Quijote Sancho Panza quien, entre otras cosas, cuenta a su amo que acaba de regresar al lugar el bachiller Sansón Carrasco, que viene de estudiar en Salamanca, y que le ha dicho que ha aparecido un libro titulado *El Ingenioso Hidalgo don Quijote de la Mancha,* en el que, dice Sancho, «me mientan a mí... con mi mismo nombre de Sancho Panza, y a la señora Dulcinea del Toboso, con otras cosas que pasamos nosotros a solas, que me hice cruces de espantado cómo las pudo saber el historiador que las escribió» (II, 2). A ruegos de don Quijote, el bachiller Sansón Carrasco lo visita y le da noticia del libro, sobre el que expresa las opiniones de diferentes lectores: «unos se atienen a la aventura de los molinos de viento, que a vuestra merced le parecieron Briareos y gigantes; otros, a la de los batanes; éste, a la descripción de los dos ejércitos, que después parecieron ser dos manadas de carneros; aquél encarece la del muerto que llevaban a enterrar a Segovia; uno dice que a todas se aventaja la de la libertad de los galeotes; otro, que ninguna iguala a la de los dos gigantes benitos, con la pendencia del valeroso vizcaíno» (II, 3). Cervantes nos va repitiendo aquí las diversas opiniones que habría recogido sobre su novela.

Hay que confesar que todo esto es sorprendente. Cervantes ha llegado a dominar de tal suerte la técnica novelesca que es capaz de hacer de la primera parte de su propio libro (publicada en 1605) un elemento novelesco de la segunda (aparecida en 1615), sin que ello desentone, sea absurdo ni vaya traído por los cabellos. En varios momentos de esta segunda parte, la primera, el libro impreso diez años antes, será aludido, alabado, criticado y comentado por los mismos seres de la ficción, hasta el extremo que uno de ellos, el bachiller Sansón Carrasco, nos dará la primera «bibliografía» del *Quijote:* «el día de hoy están impresos más de doce mil libros de la tal historia; si no, dígalo Portugal, Barcelona y Valencia, donde se han impreso; y aun hay fama que se está imprimiendo en Amberes, y a mí se me trasluce que no ha de haber nación ni lengua donde no se traduzga» (II, 3). Todo ello es cierto, y los pronósticos del bachiller se cumplieron con creces. En ésta y otras frases similares Cervantes revela su seguridad en el éxito de la obra, su confianza total en su invención y en su gloria.

Don Quijote y Sancho salen de la aldea.

Don Quijote decide salir por tercera vez de la aldea, acompañado de su escudero Sancho Panza. Este último va aguzando su ingenio de tal suerte que el propio Cervantes se ha dado cuenta que ha hecho evolucionar demasiado a esta criatura suya, pero como no quiere rectificar y ha llegado a un punto de madurez de escritor que juega con su propia novela, cuando inserta la conversación de despedida entre Sancho y su mujer, manteniendo todavía la ficción de que traduce el texto de Cide Hamete Benengeli, nos habla como «traductor» y nos confiesa que este capítulo «lo tiene por apócrifo, porque en él habla Sancho Panza con otro estilo del que se podía prometer de su corto ingenio, y dice cosas tan sutiles, que no tiene por posible que él las supiese» (II, 5); y en el transcurso del capítulo Cervantes interrumpe la conversación del matrimonio con acotaciones como «Por este modo de hablar... dijo el traductor desta historia que tenía por apócrifo este capítulo», «Todas estas razones que aquí va diciendo Sancho son las segundas por quien dice el traductor que tiene por apócrifo este capítulo, que exceden a la capacidad de Sancho». Y es que Sancho Panza se ha agrandado y perfilado en la pluma de Cervantes gradualmente y casi podríamos decir que independientemente de la voluntad del escritor, como vamos a ver en seguida.

En el Toboso.

Antes de remprender sus aventuras quiere don Quijote solicitar licencia y bendición de Dulcinea, y para ello se encaminan al Toboso, adonde llegan a medianoche, después de una
larga conversación entre amo y criado, en la que éste ha mantenido y adornado con más detalles su hábil mentira del mensaje a Dulcinea. A oscuras por el pueblo, don Quijote quiere buscar el alcázar de Dulcinea, con gran indignación de
Sancho que sostiene que no hay tal en el Toboso. Pero don
Quijote distingue en la oscuridad un bulto que hace una gran
sombra, se empeña en que se trata del palacio de Dulcinea y
se encamina hacia allí; pero «habiendo andado como doscientos
pasos, dio con el bulto que hacía la sombra, y vio una gran
torre, y luego conoció que el tal edificio no era alcázar, sino la
iglesia principal del pueblo, y dijo: —Con la iglesia hemos
dado, Sancho» (II, 9). Ya puede verse que esta frase está perfectamente acomodada a lo que ocurre y que lo que ocurre
no puede ser más lógico, pues en todo pueblo el edificio de más
«bulto» y que hace más sombra es la iglesia, que por estar en
el centro y en la plaza mayor se encuentra aunque no se busque. Pero esta tan normal y adecuada frase de don Quijote, que
está desprovista de cualquier doble intención, ha sido interpre-
tada en el sentido de que es peligroso que en los asuntos de
uno se interpongan la Iglesia o sus ministros, y así oímos decir
con frecuencia, y aun vemos escrito: «Con la Iglesia hemos
topado» (siendo así que Cervantes escribió «dado»). Es posible
que en algunos pasajes del *Quijote* haya intenciones recóndi-
tas, e incluso algo anticlericales, pero lo seguro es que aquí
no la hay. De todos modos la frase «Con la Iglesia hemos
topado» tiene un sentido claro y una intención determinada en
español, aunque se trate de una interpretación abusiva y arbi-
traria del texto de donde procede.

Sancho y Dulcinea encantada.

Sancho Panza, temeroso de que don Quijote descubra la mentira de su mensaje a Dulcinea, logra que salgan del Toboso y se instalen en un encinar. Desde allí envía don Quijote a Sancho nuevamente al Toboso con el encargo de solicitar de Dulcinea licencia para que el caballero la vea y reciba su bendición. Sancho se separa de su amo y, sentado al pie de un árbol, hace unas largas reflexiones sobre su comprometida situación. La solución que halla es sencilla e ingeniosa a la vez. Ve que por el camino, viniendo del Toboso, se acercan tres labradoras montadas en tres borricos, y corre hacia don Quijote y le anuncia que se aproxima Dulcinea, ricamente ataviada y acompañada de dos de sus doncellas. Don Quijote no lo pone en duda, sale al camino y manifiesta a Sancho que sólo ve tres labradoras montadas en tres borricos.

Ya en esto salieron de la selva y descubrieron cerca a las tres aldeanas. Tendió don Quijote los ojos por todo el camino del Toboso, y como no vio sino a las tres labradoras, turbóse todo, y preguntó a Sancho si las había dejado fuera de la ciudad.

—¿Cómo fuera de la ciudad? — respondió—. ¿Por ventura tiene vuesa merced los ojos en el colodrillo, que no vee que son éstas, las que aquí vienen, resplandecientes como el mismo sol a mediodía?

—Yo no veo, Sancho — dijo don Quijote —, sino a tres labradoras sobre tres borricos.

—¡Agora me libre Dios del diablo! — respondió Sancho —. Y ¿es posible que tres hacaneas, o como se llaman, blancas como el ampo de la nieve, le parezcan a vuesa merced borricos? ¡Vive el Señor, que me pele estas barbas si tal fuese verdad!

—Pues yo te digo, Sancho amigo — dijo don Quijote — que es tan verdad que son borricos, o borricas, como yo soy don Quijote y tú Sancho Panza; a lo menos, a mí tales me parecen.

—Calle, señor — dijo Sancho —; no diga la tal palabra, sino despabile esos ojos, y venga a hacer reverencia a la señora de sus pensamientos, que ya llega cerca.

Y diciendo esto, se adelantó a recebir a las tres aldeanas, y apeándose del rucio, tuvo del cabestro al jumento de una de las tres labradoras, y hincando ambas rodillas en el suelo, dijo:

—Reina y princesa y duquesa de la hermosura, vuestra altivez y grandeza sea servida de recebir en su gracia y buen talente al cautivo caballero vuestro, que allí está hecho piedra mármol, todo turbado y sin pulsos de verse ante vuestra magnífica presencia. Yo soy Sancho Panza su escudero, y él es el asendereado caballero don Quijote de la Mancha, llamado por otro nombre el Caballero de la Triste Figura.

A esta sazón ya se había puesto don Quijote de hinojos junto a Sancho, y miraba con ojos desencajados y vista turbada a la que Sancho llamaba reina y señora, y como no descubría en ella sino una moza aldeana, y no de muy buen rostro, porque era carirredonda y chata, estaba suspenso y admirado, sin osar desplegar los labios. Las labradoras estaban asimismo atónitas, viendo aquellos dos hombres tan diferentes hincados de rodillas, que no dejaban pasar adelante a su compañera; pero rompiendo el silencio la detenida, toda desgraciada y mohína, dijo:

—Apártense nora en tal del camino, y déjenmos pasar; que vamos de priesa.

A lo que respondió Sancho:

—¡Oh princesa y señora universal del Toboso! ¿Cómo vuestro magnánimo corazón no se enternece viendo arrodillado ante vuestra sublimada presencia a la coluna y sustento de la andante caballería?

Oyendo lo cual otra de las dos, dijo:

—Mas ¡jo, que te estrego, burra de mi suegro! ¡Mirad con qué se vienen los señoritos ahora a hacer burla de las aldeanas, como si aquí no supiéramos echar pullas como ellos! Vayan su camino, e déjenmos hacer el nueso, y serles ha sano.

—Levántate, Sancho —dijo a este punto don Quijote—; que ya veo que la Fortuna, de mi mal no harta, tiene tomados los caminos todos por donde pueda venir algún contento a esta ánima mezquina que tengo en las carnes. Y tú, ¡oh estremo del valor que puede desearse, término de la humana gentileza, único remedio deste afligido corazón que te adora!, ya que el maligno encantador me persigue, y ha puesto nubes y cataratas en mis ojos, y para sólo ellos y no para otros ha mudado y transformado tu sin igual hermosura y rostro en el de una labradora pobre, si ya también el mío no le ha cambiado en el de algún vestiglo, para hacer aborrecible a tus ojos, no dejes de mirarme blanda y amorosamente, echando de ver en esta sumisión y arrodillamiento que a tu contrahecha hermosura hago, la humildad con que mi alma te adora.

—¡Tomá que mi agüelo! —respondió la aldeana—. ¡Amiguita soy yo de oír resquebrajos! Apártense y déjenmos ir, y agradecérselo hemos.

Apartóse Sancho y dejóla ir, contentísimo de haber salido bien de su enredo.

Apenas se vio libre la aldeana que había hecho la figura de Dulcinea, cuando, picando a su *cananea* con un aguijón que en un palo traía, dio a correr por el prado adelante. Y como la borrica sentía la punta del aguijón, que le fatigaba más de lo ordinario, comenzó a dar corcovos, de manera que dio con la señora Dulcinea en tierra; lo cual visto por don Quijote, acudió a levantarla, y Sancho a componer y cinchar el albarda, que también vino a la barriga de la pollina. Acomodada, pues, la albarda, y queriendo don Quijote levantar a su encantada señora en los brazos sobre la jumenta, la señora, levantándose del suelo, le quitó de aquel trabajo, porque haciéndose algún tanto atrás, tomó una corridica, y puesta ambas manos sobre las ancas de la pollina, dio con su cuerpo, más ligero que un halcón, sobre la albarda, y quedó a horcajadas, como si fuera hombre; y entonces dijo Sancho:

—¡Vive Roque, que es la señora nuestra ama más ligera que un acotán, y que puede enseñar a subir a la jineta al más diestro cordobés

104

o mejicano! El arzón trasero de la silla pasó de un salto, y sin espuelas hace correr la hacanea como una cebra. Y no le van en zaga sus doncellas; que todas corren como el viento (II, 10).

Las labradoras siguen su camino y don Quijote y Sancho comentan el incidente. El segundo porfía en que se trataba de tres altas damas y pondera la belleza, riqueza y buen olor de Dulcinea; el segundo confiesa, desazonado, que no ha conseguido ver sino tres labradoras y que Dulcinea era fea y olía a ajos.

Sancho ha salido con la suya. Por segunda vez ha presentado ante don Quijote una ficción de Dulcinea. Primero fue cuando le relató su fingido mensaje, y amoldó su mentira a la realidad de Aldonza Lorenzo. Ahora una labradora francamente fea la ha convertido en Dulcinea encantada. Es la segunda deformación del auténtico personaje, porque ya sabemos que la real Aldonza Lorenzo era una moza «de buen ver», y esta labradora es fea y desagradable.

Evolución de la locura de don Quijote.

El episodio de las tres labradoras señala una nueva evolución en la locura de don Quijote. La situación es exactamente contraria a las que se nos han ofrecido en la primera parte, donde don Quijote, ante la realidad vulgar y corriente, se imaginaba un mundo ideal y caballeresco. Hasta ahora lo normal ha sido que don Quijote sublime en valores de belleza y heroísmo lo que es corriente, anodino e incluso vil y bajo, y cuantos le rodeaban, en primer lugar Sancho, han hecho todo lo posible para desengañarle de su error y para hacerle ver que aquello que toma por gigantes, por ejércitos, por castillos o por un rico yelmo no son sino molinos de viento, rebaños, ventas y una vulgar bacía de barbero. Y ante esta disparidad don Quijote ha respondido que los malignos encantadores, envidiosos de su gloria y obstinados en dañarle, le transforman lo noble y elevado en vulgar y bajo. Pero ahora, al iniciarse la tercera salida de don Quijote, observamos que este aspecto se ha invertido. Sancho, que antes se afanaba en hacerle ver que no había tales gigantes ni tales ejércitos, sino molinos de viento y rebaños, ahora le pone ante tres feas aldeanas y sostiene que él «está viendo» a tres encumbradas damas, y ahora, precisamente, los sentidos no engañan a don Quijote, que ve la realidad tal cual es: tres zafias labradoras. Y naturalmente, la culpa la tendrán los encantadores, que sólo para don Quijote han mudado la realidad, pero ahora inversamente a cómo ocurría en la primera parte.

La diferencia entre un tipo de aventura y otro, o sea entre las de la primera parte y las de la segunda, se advierte en dos frases paralelas. Cuando don Quijote afirmó que veía dos inmensos ejércitos a punto de entrar en batalla y que oía relinchar los caballos y sonar los clarines, Sancho respondió: «No oigo otra cosa sino muchos balidos de ovejas y carneros» (I, 18). Ahora, cuando Sancho le insiste en que avanzan por el camino Dulcinea y sus dos doncellas, don Quijote afirma: «Yo no veo sino a tres labradoras sobre tres borricos» (II, 10). Los papeles se han invertido.

La carreta de las Cortes de la Muerte.

Siguiendo su camino don Quijote y Sancho topan con un carro en el que van extraños e insólitos personajes: guía las mulas un demonio y dentro viajan la Muerte, un ángel, un emperador, Cupido, un caballero y otras personas, todo lo cual sobresalta a don Quijote, que amenazadoramente exige que digan qué gente es y adónde van. El diablo explica que son una compañía de cómicos que van de pueblo en pueblo ofreciendo el auto sacramental de *Las Cortes de la Muerte,* que aquella mañana han representado en un lugar próximo, y como por la tarde lo tienen que volver a representar en otra aldea muy cercana, no se han quitado los disfraces. Don Quijote platica con los cómicos, pero Rocinante, espantado por una burla que hace un mamarracho con unas vejigas, echa a correr y derriba a su dueño. Otro de la compañía la emprende con el asno de Sancho. Don Quijote estaba dispuesto a acometer a los cómicos, que con piedras en la mano lo esperaban, pero Sancho le hizo ver que se trataba de una temeridad luchar contra un escuadrón en el que figuraban la Muerte, emperadores y ángeles buenos y malos y ningún caballero andante (II, 11). Y adviértase que Lope de Vega escribió un *Auto sacramental de las Cortes de la Muerte,* varios de cuyos personajes corresponden a los que aparecen en este episodio del *Quijote,* que termina sin más complicaciones, y da lugar a una ingeniosa conversación entre amo y criado.

El Caballero de los Espejos o del Bosque.

Todas las personas sensatas han estado diciendo y repitiendo a don Quijote que en el mundo no existen caballeros andantes, por lo menos en tiempos modernos, y que no son más que fantasías de los autores de libros vanos y mentirosos. Pero he aquí que la noche siguiente con gran sorpresa de don Quijote y de Sancho —y mucho más del lector— encuentran en despoblado a un caballero andante, armado de todas sus armas, melancólico y enamorado de una dama llamada Casildea de Vandalia, a la que canta un enternecedor soneto. Va, además, acompañado de un escudero. Se trata del Caballero de los Espejos, que pronto traba conversación con don Quijote, mientras Sancho departe amigablemente con el escudero, en uno de los capítulos más graciosos de la novela (II, 13). Los caballeros discuten sobre la belleza de las respectivas damas y, como era de esperar, deciden zanjar el problema mediante una batalla singular que deberá celebrarse en cuanto amanezca.

Al clarear Sancho se sorprende por la extraordinaria desmesura de las narices del escudero. El Caballero del Bosque, por su parte, lleva el rostro cubierto con la celada, y se niega a mostrarlo cuando don Quijote se lo pide. Luchan ambos y don Quijote derriba por el suelo a su adversario. Entonces ocurre algo sorprendente: cuando don Quijote le quita el yelmo para ver si estaba muerto y le descubre la cara se encuentra con el rostro del bachiller Sansón Carrasco. Ello sorprende también a Sancho, que se queda estupefacto cuando ve al otro escudero sin narices y que, sin tan desmesurado aditamento, no es otro que Tomé Cecial, su compadre y vecino.

Don Quijote llega a la conclusión de que se trata de una nueva jugarreta de los encantadores que le persiguen, que para quitarle la gloria de la batalla ganada han convertido al Caballero de los Espejos en el bachiller y a su escudero en Tomé Cecial. A pesar de ello impone a su adversario que confiese que Dulcinea es más hermosa que Casildea de Vandalia y que se encamine hacia el Toboso para ponerse a la voluntad de aquélla.

A continuación inserta Cervantes un brevísimo capítulo (II, 15) para aclarar al lector la aventura pasada. Sansón Carrasco, de acuerdo con el cura y el barbero, se había disfrazado de caballero andante con la intención de buscar a don Quijote, obligarle a combatir, vencerle y exigirle que se volviera a su pueblo y no saliera de él en dos años, con lo que se contaba que el hidalgo podría sanar de su locura. Tomó como escudero al vecino y compadre de Sancho Panza, desfigurado con unas narices postizas, y salió en busca de don Quijote. Pero sucedió al revés de como se imaginaba, y él fue el vencido. Como consecuencia de ello Sansón Carrasco, irritado por su fracaso, se propuso volver a buscar a don Quijote, ahora ya no sólo para hacerle entrar en juicio, sino también para vengarse de él.

La consecuencia de esta aventura fue que don Quijote quedó convencido de que existían caballeros andantes, de que se daban en realidad lances como los de los libros de caballerías y de que los malignos encantadores seguían deformándole lo que percibía con los sentidos, ahora cuando éstos no le engañaban.

En este episodio quien parodia los libros de caballería es Sansón Carrasco, que hace cuanto puede por amoldarse a los trances de la lectura predilecta de don Quijote. Cuando se da cuenta de que está cerca de éste ordena a su escudero quite los frenos a los caballos y los deje pacer y, «el decir esto y el tenderse en el suelo todo fue a un mesmo tiempo; y al arrojarse hicieron ruido las armas, manifiesta señal por donde conoció don Quijote que debía de ser caballero andante» (I, 12); y acto seguido se pone a cantar el soneto amoroso: «Dadme, señora, un término que siga...». En el libro de *Lisuarte de Grecia,* estando el protagonista a medianoche en un bosque «oyó pisadas de caballo, y estuvo quedo por ver qué sería; y vio que era un caballero armado que, apeándose del caballo, le quitó el freno y le dejó pacer; y no tardó mucho que, dando un suspiro, dijo: —¡Oh, amor, cuán alto me pusiste haciéndome tan bienaventurado que amé a la que en el mundo par no tiene!». Y también Lisuarte y el desconocido, que resulta ser Perión de Gaula, discuten sobre la belleza de sus respectivas señoras, aunque no llegan a luchar.

Con el Caballero del Verde Gabán y la aventura de los leones.

Comentando Sancho y don Quijote la transformación del Caballero de los Espejos y su escudero en Sansón Carrasco y Tomé Cecial, son alcanzados por un hombre montado en una yegua, vestido de un gabán de paño verde fino, con quien deciden hacer la ruta y con quien departen reposadamente. Se trata de don Diego de Miranda, a quien Cervantes llama el Caballero del verde gabán, prototipo de persona discreta, instruida, acomodada, de buenas y sanas costumbres, que se admira de la locura de don Quijote, aunque quede prendado de su ingenio y oponga al afán de aventuras de nuestro hidalgo, su vida plácida, ordenada y libre de sobresaltos. Luego invitará a don Quijote a su casa, en una aldea próxima, donde su hijo, joven dado a la poesía, mantiene pláticas literarias con el hidalgo manchego, quien así pone de manifiesto una vez más su agudo criterio, siempre tan sensato y tan culto mientras no se toque su manía caballeresca.

Pero mientras viajan con el Caballero del verde gabán acaece la aventura de los leones. Se encuentran con un carro en el que son conducidos dos bravos leones de Orán, que son llevados a la corte para ser ofrecidos al Rey. Con gran espanto de Sancho y de don Diego de Miranda, y a pesar de las amonestaciones y súplicas del leonero, don Quijote se hace abrir la jaula del león macho, y espera valientemente que salga para luchar con él. Don Quijote recordaba episodios de los libros de caballerías en los que sus héroes habían vencido a fuertes y temibles leones. Palmerín de Oliva, Palmerín de Inglaterra, Primaleón, Policisne, Florambel de Lucea y otros muchos habían salido victoriosos en espantosas batallas contra tan feroces animales. Pero hasta los leones de la realidad han perdido aquella fiereza de los leones de los libros de caballerías. El feliz final de esta aventura es el siguiente:

> Visto el leonero ya puesto en postura a don Quijote, y que no podía dejar de soltar al león macho, so pena de caer en la desgracia del indignado y atrevido caballero, abrió de par en par la primera jaula, donde estaba, como se ha dicho, el león, el cual pareció de grandeza extraordinaria y de espantable y fea catadura. Lo primero que hizo fue revolverse en la jaula, donde venía echado, y tender la garra, y desperezarse todo; abrió luego la boca y bostezó muy despacio, y con casi dos palmos de lengua que sacó fuera se despolvoreó los ojos y se lavó el rostro; hecho esto, sacó la cabeza fuera de la jaula y miró a todas partes con los ojos hechos brasas, vista y además para poner espanto a la misma temeridad. Sólo don Quijote lo miraba atentamente, deseando que saltase ya del carro y viniese con él a las manos, entre las cuales pensaba hacerle pedazos. Hasta aquí llegó el estremo de su jamás vista locura. Pero el generoso león, más comedido que arrogante, no haciendo caso de niñerías ni de bravatas, después de haber mirado a una y otra parte, como se ha dicho, volvió las espaldas y enseñó sus traseras partes a don Quijote, y con gran flema y remanso se volvió a echar en la jaula (II, 17).

Las bodas de Camacho.

Como un descanso o paréntesis en la busca de aventuras se coloca aquí el episodio de la historia sentimental de Basilio el pobre, Quiteria la hermosa y Camacho el rico (II, 19-21). Éste, gracias a su gran fortuna, ha logrado la mano de la moza, de la que está enamorado Basilio. Se preparan unas magníficas bodas, opíparo banquete campesino que Cervantes describe con los más suculentos pormenores. Basilio sale al paso de los contrayentes y con voz trémula y ronca recuerda a la ingrata Quiteria sus promesas, y tras un emocionado parlamento se traspasa con un estoque y queda bañado en sangre. Ello produce la natural impresión, pues todos creen que Basilio va a mo-

110

rir muy pronto. El mozo, con voz desmayada, pide a Quiteria que en este último trance de su vida le dé la mano de esposa, y asegura que si no se hace así, no se confesará. El propio Camacho, para que no se pierda el alma de Basilio por considerársele suicida, accede a que Quiteria junte sus manos con las del que parece moribundo y que el cura les eche la bendición. Apenas lo ha hecho, Basilio se levanta ligeramente del suelo mientras los circunstantes, maravillados, gritan «¡Milagro, milagro!». A lo que Basilio responde: «¡No milagro, milagro, sino industria, industria!» (II, 21), o sea, ingenio, traza engañosa. Porque, en efecto, el joven despreciado se había acomodado en el cuerpo un canuto lleno de sangre, que atravesó con el estoque con tal habilidad que todos creyeron que se había herido mortalmente. Gracias a esto logró Basilio casarse con Quiteria; y cuando Camacho y sus parientes tomaron las espadas para atacar al astucioso mozo, don Quijote intervino a su favor con un parlamento lleno de buen sentido. La contienda se pacificó, y Basilio, agradecido, acogió en su casa a don Quijote y a Sancho.

Aventura de la cueva de Montesinos.

Don Quijote, deseoso de visitar la cueva de Montesinos, próxima a una de las lagunas de Ruidera, donde nace el Guadiana, consigue como guía al primo de un licenciado que antes había encontrado en el camino (II, 19), hombre pintoresco al que Cervantes llamará simplemente el Primo. Se trata de una especie de don Quijote de la erudición, ya que este chiflado personaje está escribiendo un libro que se llamará *Metamorfoseos* u *Ovidio español* en el que explica quiénes fueron la Giralda de Sevilla, los Toros de Guisando, la Sierra Morena, las fuentes de Leganitos y de Lavapiés de Madrid, etc.; y otro, titulado *Suplemento a Virgilio Polidoro* que, como su nombre indica, pretende ser una continuación de una obra muy leída, el *De inventoribus rerum* del italiano Polidoro Vergilio (1470-1550), y en la que, entre otras cosas, piensa poner en claro «quién fue el primero que tuvo catarro en el mundo». Este loco de la erudición hace muy buenas migas con don Quijote, a quien

111

toma en serio incluso cuando dice los mayores disparates y de cuyo juicio no duda jamás. Don Quijote y el Primo son tal para cual, y se avienen perfectamente. Afirma que «su profesión era ser humanista», con lo que sin duda alguna Cervantes, hombre de formación no universitaria y que veía con sorna la erudición, se está burlando de los sabios de su tiempo. Es posible que con este estrafalario personaje Cervantes intente satirizar a algún erudito determinado, tal vez a Francisco de Luque Faxardo, autor de un interesante libro titulado *Fiel desengaño contra la ociosidad y los juegos,* que se publicó en 1603.

Guiados por el Primo llegan don Quijote y Sancho a la cueva de Montesinos, y el hidalgo manchego se introduce en ella mediante una soga. Media hora después el Primo y Sancho tiraron de la cuerda y sacaron a don Quijote completamente dormido (II, 22). Una vez hubo despertado explicó a sus dos oyentes lo que había visto en la cueva, «cuya imposibilidad y grandeza hace que se tenga esta aventura por apócrifa». Don Quijote, en esta aventura, precedente de la moderna espeleología, ha tenido en la cueva un sueño completamente de acuerdo con sus fantasías caballerescas e inspirado en un episodio similar de *Las sergas de Esplandián.*

Don Quijote se encontró en un maravilloso palacio en el que le recibió un anciano de largas barbas que resultó ser Montesinos, gran amigo de Durandarte, caballero muerto en Roncesvalles, cuyo cuerpo estaba allí tendido sobre un sepulcro de mármol. Apareció un cortejo de doncellas enlutadas, acompañando a Belerma, la dama de Durandarte. Montesinos explicó que todos ellos y otros más — la reina Ginebra, Lanzarote, etcétera — estaban en aquel maravilloso palacio encantados por Merlín y en espera de ser desencantados por don Quijote de la Mancha. Éste vio luego, «saltando y brincando como cabras» a tres labradoras que resultan ser Dulcinea del Toboso y sus dos acompañantes, en la misma figura que las vio cuando se las mostró Sancho, que hace poco, según dice Montesinos, que llegaron allí y están asimismo encantadas. Dulcinea, por medio de una de sus acompañantes, pide a don Quijote que le preste bajo fianza seis reales, y el caballero, aunque extrañado de que los encantados necesiten dinero, le da todo lo que lleva, que son sólo cuatro reales.

Hay en esta visión de don Quijote —que ni él ni el Primo reconocerán que sea un sueño, al contrario de Sancho— una serie de elementos carolingios y artúricos de acuerdo con las peculiares variantes del romancero castellano, del cual Montesinos, Durandarte y Belerma eran figuras de todos conocidas. Cervantes inventa a un escudero de Durandarte, Guadiana, a la dueña Ruidera y a sus siete hijas y dos sobrinas para dar a la visión un matiz de fábula mitológica al estilo de Ovidio y Boccaccio. Pero todo ello, claro está, con un constante humorismo y con una clara intención de parodiar episodios semejantes, que abundan en los libros de caballerías. Lo más curioso es la actitud de don Quijote, que va explicando su visión sin darse plena cuenta de los elementos grotescos que hay en ella. Ya se habrá advertido que la transformación de Dulcinea en una zafia labradora, debida a la mentira de Sancho, se ha impuesto de tal suerte en el espíritu de don Quijote que se le ha reaparecido en este caballeresco trasmundo de seres encantados. Precisamente el hecho de hallarse Dulcinea encantada constituirá un elemento de gran importancia en el resto de la obra.

El retablo de maese Pedro.

Don Quijote, Sancho y el Primo llegan a una venta «no sin gusto de Sancho, por ver que su señor la juzgó por verdadera venta, y no por castillo, como solía» (II, 24), observación que revela que Cervantes ha cambiado decididamente la técnica de su novela en esta segunda parte y tercera salida de don Quijote. Ahora verá las ventas tal como son, del mismo modo que vio a las labradoras como labradoras.

A la venta llega un tal maese Pedro, con casi media cara tapada con un tafetán y que es recibido con gran alegría por el ventero, ya que lleva un mono adivino y un teatrillo portátil de títeres. Es grande la sorpresa de don Quijote y de Sancho cuando el mono hace como si hablara al oído de maese Pedro y éste entonces se arroja a los pies del caballero llamándole por su nombre y saludándole como el «resucitador insigne de la ya puesta en olvido andante caballería» (II, 25). El mono, siempre a través de su amo, responde a preguntas de don Quijote, y finalmente, montado el teatrillo, se hace una representación de títeres, en la que maese Pedro es ayudado por un muchacho.

Se trata de un teatro de marionetas muy similar al de los «pupi» que todavía se conservan en Sicilia, y maese Pedro ofrece a los que se encuentran en la venta la historia de Gaiferos y Melisendra según los romances que circulaban sobre estos personajes del ciclo carolingio. Don Quijote presencia la representación con serenidad y agrado y hace comentarios muy atinados, como es observar que no es propio de una ciudad mora que tañan en ella las campanas. Pero cuando la pareja Gaiferos y Melisendra huye de Sansueña perseguida por los moros, don Quijote desenvaina la espada y arremete a cuchilladas con los títeres, estropeando gran parte de ellos y derribando todo el teatrillo o retablo. Tranquilizado don Quijote, confiesa que los encantadores que le persiguen le hicieron creer que las figurillas eran seres de verdad y que la representación era en realidad la historia de Gaiferos y Melisendra, y ofrece a maese Pedro pagarle en moneda los destrozos que le ha causado.

Callaron todos, tirios y troyanos, quiero decir, pendientes estaban todos los que el retablo miraban, de la boca del declarador de sus maravillas, cuando se oyeron sonar en el retablo cantidad de atabales y trompetas, y dispararse mucha artillería, cuyo rumor pasó en tiempo breve, y luego alzó la voz el muchacho, y dijo:

—Esta verdadera historia que aquí a vuesas mercedes se representa es sacada al pie de la letra de las corónicas francesas y de los romances españoles que andan en boca de las gentes, y de los muchachos, por esas calles. Trata de la libertad que dio el señor don Gaiferos a su esposa Melisendra, que estaba cautiva en España, en poder de moros, en la ciudad de Sansueña, que así se llamaba entonces la que hoy se llama Zaragoza; y vean vuesas mercedes allí cómo está jugando a las tablas don Gaiferos, según aquello que se canta:

Jugando está a las tablas don Gaiferos,
que ya de Melisendra está olvidado.

Y aquel personaje que allí asoma con corona en la cabeza y ceptro en las manos es el emperador Carlomagno, padre putativo de la tal

Melisendra, el cual, mohíno de ver el ocio y descuido de su yerno, le sale a reñir; y adviertan con la vehemencia y ahínco que le riñe, que no parece sino que le quiera dar con el ceptro media docena de coscorrones, y aun hay autores que dicen que se los dio, y muy bien dados; y después de haberle dicho muchas cosas acerca del peligro que corría su honra en no procurar la libertad de su esposa, dicen que le dijo:

«Harto os he dicho: miradlo».

Miren vuestras mercedes también como el emperador vuelve las espaldas y deja despechado a don Gaiferos, el cual ya ven como arroja, impaciente de la cólera, lejos de sí el tablero y las tablas, y pide apriesa las armas, y a don Roldán su primo pide prestada su espada Durindana, y como Roldán no se la quiere prestar, ofreciéndole su compañía en la difícil empresa en que se pone; pero el valeroso enojado no lo quiere aceptar; antes dice que él solo es bastante para sacar a su esposa, si bien estuviese metida en el más hondo centro de la tierra; y con esto, se entra a armar, para ponerse luego en camino. Vuelvan vuestras mercedes los ojos a aquella torre que allí parece, que se presupone que es una de las torres del alcázar de Zaragoza, que ahora llaman la Aljafería; y aquella dama que en aquel balcón parece, vestida a lo moro, es la sin par Melisendra, que desde allí muchas veces se ponía a mirar el camino de Francia, y puesta la imaginación en París y en su esposo, se consolaba en su cautiverio. Miren también un nuevo caso que ahora sucede, quizá no visto jamás. ¿No veen aquel moro que callandico y pasito a paso, puesto el dedo en la boca, se llega por las espaldas de Melisendra? Pues miren cómo la da un beso en mitad de los labios, y la priesa que ella se da a escupir, y a limpiárselos con la blanca manga de su camisa, y cómo se lamenta, y se arranca de pesar sus hermosos cabellos, como si ellos tuvieran la culpa del maleficio. Miren también cómo aquel grave moro que está en aquellos corredores es el rey Marsilio de Sansueña; el cual, por haber visto la insolencia del moro, puesto que era un pariente y gran privado suyo, le mandó luego prender, y que le den docientos azotes, llevándole por las calles acostumbradas de la ciudad,

con chilladores delante
y envaramiento detrás;

y veis aquí donde salen a ejecutar la sentencia, aun bien apenas no habiendo sido puesta en ejecución la culpa; porque entre moros no hay «traslado a la parte», ni «a prueba y estése», como entre nosotros.

—Niño, niño —dijo con voz alta a esta sazón don Quijote —, seguid vuestra historia línea recta, y no os metáis en las curvas o transversales; que para sacar una verdad en limpio menester son muchas pruebas y repruebas.

También dijo maese Pedro desde dentro:

—Muchacho, no te metas en dibujos, sino haz lo que ese señor te manda, que será lo más acertado; sigue tu canto llano, y no te metas en contrapuntos, que se suelen quebrar de sotiles.

—Yo lo haré así — respondió el muchacho, y prosiguió, diciendo —: Esta figura que aquí parece a caballo, cubierta con una capa gascona, es la mesma de don Gaiferos, a quien su esposa, ya vengada del atrevimiento del enamorado moro, con mejor y más sosegado semblante, se ha puesto a los miradores de la torre, y habla con su esposo creyendo que es algún pasajero, con quien pasó todas aquellas razones y coloquios de aquel romance que dicen:

> Caballero, si a Francia ides,
> por Gaiferos preguntad;

las cuales no digo yo ahora, porque de la prolijidad se suele engendrar el fastidio; basta ver cómo don Gaiferos se descubre, y que por los ademanes alegres que Melisendra hace se nos da a entender que ella le ha conocido, y más ahora que veemos se descuelga del balcón, para ponerse en las ancas del caballo de su buen esposo. Mas, ¡ay, sin ventura!, que se le ha asido una punta del faldellín de uno de los hierros del balcón, y está pendiente en el aire, sin poder llegar al suelo. Pero veis cómo el piadoso cielo socorre en las mayores necesidades; pues llega don Gaiferos, y sin mirar si se rasgará o no el rico faldellín, ase della, y mal su grado la hace bajar al suelo, y luego, de un brinco, la pone sobre las ancas de su caballo, a horcajadas como hombre, y la manda que se tenga fuertemente y le eche los brazos por las espaldas, de modo que los cruce en el pecho, porque no se caiga, a causa que no estaba la señora Melisendra acostumbrada a semejantes caballerías. Veis también cómo los relinchos del caballo dan señales que va contento con la valiente y hermosa carga que lleva en su señor y en su señora. Veis cómo vuelven las espaldas y salen de la ciudad, y alegres y regocijados toman de París la vía. ¡Vais en paz, oh par sin par de verdaderos amantes! ¡Lleguéis a salvamento a vuestra deseada patria, sin que la fortuna ponga estorbo en vuestro felice viaje! ¡Los ojos de vuestros amigos y parientes os vean gozar en paz tranquila los días, que los de Néstor sean, que os quedan de la vida!

Aquí alzó otra vez la voz maese Pedro, y dijo:

—Llaneza, muchacho; no te encumbres, que toda afectación es mala.

No respondió nada el intérprete; antes prosiguió, diciendo:

—No faltaron algunos ociosos ojos, que lo suelen ver todo, que no viesen la bajada y la subida de Melisendra, de quien dieron noticia al rey Marsilio, el cual mandó luego tocar al arma; y miren con qué priesa; que ya la ciudad se hunde con el son de las campanas, que en todas las torres de las mezquitas suenan.

—¡Eso no! —dijo a esta sazón don Quijote—. En esto de las campanas anda muy impropio maese Pedro, porque entre moros no se usan campanas, sino atabales, y un género de dulzaínas que parecen chirimías; y esto de sonar campanas en Sansueña sin duda que es un gran disparate.

Lo cual oído por maese Pedro, cesó el tocar, y dijo:

—No mire vuesa merced en niñerías, señor don Quijote, ni quiera llevar las cosas tan por el cabo, que no se le halle. ¿No se representan por ahí, casi de ordinario, mil comedias llenas de mil impropiedades y disparates, y, con todo eso, corren felicísimamente su carrera, y se escuchan no sólo con aplauso, sino con admiración y todo? Prosigue, muchacho, y deja decir; que como yo llene mi talego, siquiera represente más impropiedades que tiene átomos el sol.

—Así es la verdad —replicó don Quijote.

Y el muchacho dijo:

—Miren cuánta y cuán lucida caballería sale de la ciudad en siguimiento de los dos católicos amantes; cuántas trompetas que suenan, cuántas dulzainas que tocan y cuántos atabales y atambores que retumban. Témome que los han de alcanzar, y los han de volver atados a la cola de su mismo caballo, que sería un horrendo espetáculo.

Viendo y oyendo, pues, tanta morisma y tanto estruendo don Quijote, parecióle ser bien dar ayuda a los que huían, y levantándose en pie, en voz alta dijo:

—No consentiré yo que en mis días y en mi presencia se le haga superchería a tan famoso caballero y a tan atrevido enamorado como don Gaiferos. ¡Deteneos, mal nacida canalla; no le sigáis ni persigáis; si no, conmigo sois en la batalla!

Y diciendo y haciendo, desenvainó la espada, y de un brinco se puso junto al retablo, y con acelerada y nunca vista furia comenzó a llover cuchilladas sobre la titerera morisma, derribando a unos, descabezando a otros, estropeando a éste, destrozando a aquél, y, entre otros muchos, tiró un altibajo tal que si maese Pedro no se abaja, se encoge y agazapa, le cercenara la cabeza con más facilidad que si fuera hecha de masa de mazapán. Daba voces maese Pedro, diciendo:

—Deténgase vuesa merced, señor don Quijote, y advierta que estos que derriba, destroza y mata no son verdaderos moros, sino unas figurillas de pasta. ¡Mire, pecador de mí, que me destruye y echa a perder toda mi hacienda!

Mas no por esto dejaba de menudear don Quijote cuchilladas, mandobles, tajos y reveses como llovidos. Finalmente, en menos de dos credos dio con todo el retablo en el suelo, hechas pedazos y desmenuzadas todas sus jarcias y figuras: el rey Marsilio, mal herido, y el emperador Carlomagno, partida la corona y la cabeza en dos partes. Alborotóse el senado de los oyentes, huyóse el mono por los tejados, de la ventana, temió el primo, acobardóse el paje, y hasta el mesmo Sancho Panza tuvo pavor grandísimo, porque, como él juró después de pasada la borrasca, jamás había a su señor con tan desatinada cólera. Hecho, pues, el general destrozo del retablo, sosegóse un poco don Quijote, y dijo:

—Quisiera yo tener aquí delante en este punto todos aquellos que no creen, ni quieren creer, de cuánto provecho sean en el mundo los caballeros andantes: miren, si no me hallara yo aquí presente, qué fuera del buen don Gaiferos y de la hermosa Melisendra; a buen seguro que ésta fuera ya la hora que los hubieran alcanzado estos canes, y les hubieran hecho algún desaguisado. En resolución, ¡viva la andante caballería sobre cuantas cosas hoy viven en la tierra!

—¡Viva en hora buena —dijo a esta sazón con voz enfermiza maese Pedro—, y muera yo, pues soy tan desdichado, que puedo decir con el rey don Rodrigo:

> Ayer fue señor de España...
> y hoy no tengo una almena
> que pueda decir que es mía!

No ha media hora, ni aun un mediano momento, que me vi señor de reyes y de emperadores, llenas mis caballerizas y mis cofres y sacos de infinitos caballos y de innumerables galas, y agora me veo desolado y abatido, pobre y mendigo, y, sobre todo, sin mi mono, que a fe que primero que le vuelva a mi poder me han de sudar los dientes; y todo por la furia mal considerada deste señor caballero, de quien se dice que ampara pupilos, y endereza tuertos, y hace otras obras caritativas, y en mí solo ha venido a faltar su intención generosa, que sean benditos y alabados los cielos, allá donde tienen más levantados sus asientos. En fin, el Caballero de la Triste Figura había de ser aquel que había de desfigurar las mías (II, 26).

Así acaba la aventura del retablo, y Cervantes se apresura a explicar a los lectores que maese Pedro no era otro que Ginés de Pasamonte, el galeote libertado por el hidalgo manchego, que temeroso de la justicia se había cubierto parte del rostro con un tafetán para no ser reconocido y que con el mono adivino y el teatrillo iba ganándose el sustento. Como conocía perfectamente a don Quijote, así que lo vio en la venta pudo fingir que el mono había descubierto su personalidad y profesión de caballero andante.

La aventura del rebuzno.

El episodio de maese Pedro y su retablo está intercalado en la aventura o cuento del rebuzno, historieta de tipo tradicional sobre la rivalidad entre dos pueblos vecinos que están a punto de llegar a las armas. Don Quijote se sitúa entre los rústicos combatientes y les dirige una sabia y elocuente arenga incitándoles a la paz, pero por desgracia interviene en ello Sancho, complementando el parlamento de su amo con reflexiones propias que acaban con un sonoro y retumbante rebuzno. Los que le escuchan creen que se está burlando de ellos y le acometen con palos y piedras (II, 27).

La aventura del barco encantado.

Don Quijote y Sancho llegan al Ebro y se ofrece a su vista «un pequeño barco sin remos ni otras jarcias algunas, que estaba atado en la orilla a un tronco de árbol que en la ribera estaba. Miró don Quijote a todas partes, y no vio persona alguna; y luego, sin más ni más, se apeó de Rocinante y mandó a Sancho que lo mesmo hiciese del rucio, y que a entrambas bestias las atase muy bien, juntas al tronco de un álamo o sauce que allí estaba» (II, 29). Compárense estos detalles con una aventura de Palmerín de Inglaterra: «andando por la ribera del agua... y mirando a todas partes, vio entre dos peñas, adonde el agua hacía un remanso, un batel muy grande atado con una cuerda a un álamo... y mirando por todas partes por ver si quien allí el barco había traído eran salidos a tomar algún refresco, no solamente no vio gente mas ni aun rumor della, y viendo esto mandó a Selvián que le tuviese el caballo, porque quería entrar dentro en el batel» (*Palmerín de Ingalaterra,* I, 56). Cervantes hace de la travesía del Ebro de don Quijote y Sancho un remedo del maravilloso viaje de Palmerín, tema que es a su vez un tópico de la literatura caballeresca, donde es tan frecuente que un navío abandonado conduzca, sin nadie que lo gobierne, a un héroe famoso. La fantasía de don Quijote se exalta, y se cree que siguiendo el curso del río han llegado al mar y han pasado la línea equinoccial. Pero el pequeño barco está alcanzando la otra orilla del río con peligro de dar contra las ruedas de una aceña, y al reparar en ello acuden los molineros, blancos de harina, con varas apropiadas para detener la embarcación. Don Quijote se sobresalta al ver a aquellos hombres enharinados y los increpa como si fueran seres malvados que tienen a una persona cautiva en su fortaleza, y los insulta, desafía y amenaza con la espada.

Los molineros consiguen detener el barco, no sin que don Quijote y su escudero Sancho se zambullan en el río.

En el palacio de los Duques.

Desde el capítulo 30 hasta el 57 de esta segunda parte de la novela don Quijote y Sancho son acogidos por unos Duques que tenían su residencia en aquellas tierras aragonesas. Aunque Cervantes jamás indica su nombre ni su título y no denomina el lugar donde está situado el palacio en que residen, se suele afirmar que parecen estar inspirados en don Carlos de Borja y doña María Luisa de Aragón, duques de Luna y Villahermosa, que tenían una residencia en Pedrola.

Los Duques han leído la primera parte del *Quijote,* y por lo tanto cuando conocen al hidalgo manchego y a su escudero saben perfectamente de qué pie cojean ambos: la locura caballeresca y el ingenio de don Quijote y la ambición y donaires de Sancho. Ricos aristócratas, con una verdadera corte de servidores y criados, los Duques deciden aprovechar el paso de don Quijote y Sancho por sus propiedades para divertirse a costa de ellos, como si hubiesen tenido la suerte de encontrar a dos bufones. Así, pues, el Duque ordena a toda su servidumbre que siga el humor de don Quijote y que se comporte al estilo de las cortes de los libros de caballerías. Si bien a ello se opone indignado e iracundo el capellán del palacio, que lo abandona mientras don Quijote reside en él, el mayordomo del Duque, hombre ingenioso y conocedor de los lances de los libros de caballerías, colaborará eficazmente en esta gran farsa.

Con gran delicadeza, pero despiadadamente en ciertas ocasiones, tratarán los Duques a don Quijote y a Sancho, y no repararán en dificultades a fin de hacerles creer que viven en el ambiente de los libros de caballerías, pues gracias a su fortuna y a su poder harán una complicada imitación del mundo caballeresco y de las aventuras de los antiguos caballeros andantes que, sin necesidad de desfigurar la realidad, revivirán artificialmente en don Quijote y en Sancho.

El encuentro de amo y criado con estos aristócratas es meramente casual. Al atardecer del día siguiente de haber atravesado el Ebro topan con una bella cazadora, a la que don Quijote hace saludar solemnemente por Sancho. La cazadora, que es la Duquesa, afirma ya tener noticia de don Quijote y Sancho por la primera parte de sus aventuras, que «anda impresa», y los acoge con grandes muestras de alegría. A la Duquesa le hacen mucha gracia los modales y la conversación de Sancho, quien llega a sentir un gran afecto por la dama sin percibir exactamente que no constituye para ella más que un objeto de diversión.

120

Al lado de los Duques don Quijote y Sancho entran por vez primera en un ambiente aristocrático y refinado y conviven con la nobleza. El mundo de venteros, cabreros, pastores, cuadrilleros y de labradores más o menos acomodados, en el que hasta ahora han estado inmersos casi siempre, se sustituye por el de la etiqueta palaciega, el lujo suntuoso y el poder de una auténtica corte, que, aunque reproduce con toda fidelidad el esplendor de algunas casas nobles de principios del siglo XVII, por su boato, magnificencia, elegancia y apego a una vieja tradición, conserva elementos y actitudes que en cierto modo se asemejan al ambiente medieval descrito en los libros de caballerías. Ya no será preciso que don Quijote imagine, en su demente fantasía, un mundo irreal, pues el que le circunda se amolda a sus ensueños literarios; y por otra parte las órdenes del Duque, que exigirá a su servidumbre que lo trate como un caballero andante y que invente trances novelescos, acrecentarán este ambiente novelesco, que Cervantes ha creado con sumo cuidado y sin olvidar ni un solo momento la más elemental verosimilitud.

Sólo dos personas del palacio se excluyen de la consigna dada por el Duque: el eclesiástico ya aludido, que malhumoradamente interpela a don Quijote por sus sandeces y reconviene a su señor por organizar tal farsa, y cierta dama de honor de la Duquesa llamada doña Rodríguez, tipo inolvidable porque en él Cervantes ha pintado magistralmente a la mujer tonta y la ha hecho obrar y hablar de la manera más estúpida y mentecata posible. Doña Rodríguez, en su integral estulticia, cree a pies juntillas que don Quijote es un caballero andante e incluso acude a él, como una dueña menesterosa de las que tanto abundan en los libros de caballerías, para que defienda el honor de su hija, que ha sido burlada por el hijo de un labrador rico. Como es natural, don Quijote accederá a defender en batalla singular el honor de la hija de doña Rodríguez, para lo cual el Duque hará construir un tablado y dispondrá la presencia de jueces de campo, como en las novelas. Pero en lugar del hijo del labrador, causante de la deshonra, hará que se apreste a luchar con don Quijote un lacayo llamado Tosilos, el cual, cuando se entera de que va a batallar por no casarse con la joven Rodríguez, que le ha gustado físicamente, renunciará a la batalla y se dará por vencido (II, 48 y 56). Pero este episodio se desarrolla al final de la estancia de don Quijote en el palacio de los Duques.

La profecía de Merlín.

En una cacería que organiza el Duque en honor de don Quijote, aparece de improviso uno de los criados de aquél, disfrazado de diablo, que anuncia la llegada de un cortejo de encantadores que traen sobre un carro triunfal a Dulcinea del Toboso. En efecto, al cerrar la noche y precedidos de músicas y de ruidos estremecedores, llegan un carro tirado de bueyes y toda suerte de personas disfrazadas de magos y encantadores, entre quienes se destaca el sabio Merlín, el cual pronuncia ante don Quijote una cómica y solemne profecía en verso, al estilo de las que en la Edad Media se atribuían a aquel diabólico personaje.

En la profecía se anuncia que Dulcinea está encantada en forma de rústica aldeana (o sea como, gracias a la mentira de su escudero, creyó verla don Quijote) y que sólo recobrará su estado primero (o sea el de una gran dama) cuando Sancho se haya dado tres mil trescientos azotes «en ambas sus valientes posaderas». Ante las protestas del escudero, don Quijote se dispone a darle los azotes a viva fuerza, pero interviene Merlín y puntualiza que el desencanto sólo tendrá efecto si Sancho recibe los azotes «por su buena voluntad, y no por fuerza, y en el tiempo que él quisiere», pues no se exige plazo fijo (II, 35).

Este embuste implica una nueva situación en las relaciones entre amo y escudero, situación que perdura hasta el fin de la novela. Don Quijote se verá obligado a importunar, rogar y suplicar a su criado para que de cuando en cuando se vapulee y con ello se vaya ganando camino hacia el desencanto de Dulcinea. Sancho, si bien no encuentra nada agradable eso de azotarse, tendrá en ello una importante arma contra su amo e incluso se hará pagar en dinero cada uno de los azotes.

La aventura de Clavileño.

A la profecía de Merlín sigue la larga e interesante aventura de la condesa Trifaldi, o dueña Dolorida, y de Clavileño (II, 36-41). La Trifaldi se presenta ante don Quijote con un grotesco cortejo de damas barbudas para pedirle que vaya a la lejana isla de Candaya a desencantar a la infanta Antonomasia y a don Clavijo, convertidos por el gigante Malambruno, ella en una simia de bronce, y él en un espantoso cocodrilo. Sólo a don Quijote estaba reservada la hazaña de hacerles recobrar su primitiva forma.

Los criados del Duque realizan toda esta farsa con notable propiedad y remendando con verdadero acierto las situaciones, el estilo y el lenguaje de los libros de caballerías. Para ir a Candaya es preciso montar en un caballo de madera, llamado Clavileño, que lleva rápidamente por los aires a las regiones más apartadas.

Don Quijote y Sancho montan en el caballo de madera, que acaban de traer cuatro «salvajes»; les cubren los ojos con un pañuelo.

Cubriéronse, y sintiendo don Quijote que estaba como había de estar, tentó la clavija, y apenas hubo puesto los dedos en ella cuando las dueñas y cuantos estaban presentes levantaron las voces, diciendo:

—¡Dios te guíe, valeroso caballero!

—¡Dios sea contigo, escudero intrépido!

—¡Ya, ya vais por esos aires, rompiéndolos con más velocidad que una saeta!

—¡Ya comenzáis a suspender y admirar a cuantos desde la tierra os están mirando!

—¡Tente, valeroso Sancho, que te bamboleas! ¡Mira no cayas; que será peor tu caída que la del atrevido mozo que quiso regir el carro del Sol, su padre!

Oyó Sancho las voces, y apretándose con su amo y ciñéndole con los brazos, le dijo:

—Señor, ¿cómo dicen éstos que vamos tan altos, si alcanzan acá sus voces, y no parecen sino que están aquí hablando, junto a nosotros?

—No repares en eso, Sancho; que como estas cosas y estas volaterías van fuera de los cursos ordinarios, de mil leguas verás y oirás lo que quisieres. Y no me aprietes tanto, que me derribas; y en verdad que no sé de qué te turbas ni te espantas; que osaré jurar que en todos los días de mi vida he subido en cabalgadura de paso más llano: no parece sino que no nos movemos de un lugar. Destierra, amigo, el miedo; que, en efecto, la cosa va como ha de ir, y el viento llevamos en popa.

—Así es la verdad — respondió Sancho —; que por este lado me da un viento tan recio, que parece que con mil fuelles me están soplando.

Y así era ello; que unos grandes fuelles le estaban haciendo aire: tan bien trazada estaba la tal aventura por el duque y la duquesa y su mayordomo, que no le faltó requisito que la dejase de hacer perfecta.

Sintiéndose, pues, soplar don Quijote, dijo:

—Sin duda alguna, Sancho, que ya debemos de llegar a la segunda región del aire, adonde se engendra el granizo, las nieves; los truenos, los relámpagos y los rayos se engendran en la tercera región, y si es que desta manera vamos subiendo, presto daremos en la región del fuego, y no sé yo cómo templar esta clavija para que no subamos donde nos abrasemos.

En esto, con unas estopas ligeras de encenderse y apagarse, desde lejos, pendientes de una caña, les calentaban los rostros. Sancho, que sintió el calor, dijo:

—Que me maten si no estamos ya en el lugar del fuego, o bien cerca; porque una gran parte de mi barba se me ha chamuscado, y estoy, señor, por descubrirme y ver en qué parte estamos.

—No hagas tal — respondió don Quijote —, y acuérdate del verdadero cuento del licenciado Torralba, a quien llevaron los diablos en volandas por el aire, caballero en una caña, cerrados los ojos, y en doce horas llegó a Roma, y se apeó en Torre de Nona, que es una calle de la ciudad, y vio todo el fracaso y asalto y muerte de Borbón, y por la mañana ya estaba de vuelta en Madrid, donde dio cuenta de todo lo que había visto; el cual asimismo dijo que cuando iba por el aire le mandó el diablo que abriese los ojos y los abrió, y se vio tan cerca, a su parecer, del cuerpo de la luna, que la pudiera asir con la mano, y que no osó mirar a la tierra por no desvanecerse. Así que, Sancho, no hay para qué descubrirnos; que el que nos lleva a cargo, él dará cuenta de nosotros, y quizá vamos tomando puntas y subiendo en alto para dejarnos caer de una sobre el reino de Candaya, como hace el sacre o neblí sobre la garza para cogerla, por más que se remonte; y aunque nos parece que no ha media hora que nos partimos del jardín, créeme que debemos de haber hecho gran camino.

—No sé lo que es — respondió Sancho Panza —; sólo sé decir que si la señora Magallanes o Magalona se contentó destas ancas, que no debía de ser muy tierna de carnes.

Todas estas pláticas de los dos valientes oían el duque y la duquesa y los del jardín, de que recibían estraordinario contento; y queriendo dar remate a la estraña y bien fabricada aventura, por la cola de Clavileño le pegaron fuego con unas estopas, y al punto, por estar el caballo lleno de cohetes tronadores, voló por los aires, con estraño ruido, y dio con don Quijote y con Sancho Panza en el suelo, medio chamuscados.

En este tiempo ya se habían desaparecido del jardín todo el barbado escuadrón de las dueñas, y la Trifaldi y todo, y los del jardín quedaron como desmayados, tendidos por el suelo. Don Quijote y Sancho se levantaron maltrechos, y mirando a todas partes quedaron atónitos de verse en el mesmo jardín de donde habían partido, y de ver tendido por tierra tanto número de gente; y creció más su admiración cuando a un lado del jardín vieron hincada una gran lanza en el suelo, y pendiente della y de dos cordones de seda verde un pergamino liso y blanco, en el cual, con grandes letras de oro, estaba escrito lo siguiente:

> *El ínclito caballero don Quijote de la Mancha feneció y acabó la aventura de la condesa Trifaldi, por otro nombre llamada la dueña Dolorida, y compañía, con sólo intentarla.*
>
> *Malambruno se da por contento y satisfecho a toda su voluntad, y las barbas de las dueñas ya quedan lisas y mondas, y los reyes don Clavijo y Antonomasia, en su prístino estado. Y cuando se cumpliere el escuderil vápulo, la blanca paloma se verá libre de los pestíferos girifaltes que la persiguen, y en brazos de su querido arrullador; que así está ordenado por el sabio Merlín, protoencantador de los encantadores* (II, 41).

Aquí no es precisamente el escritor, Cervantes, quien parodia los libros de caballerías, sino los criados del Duque; y lo hacen con tal propiedad que no tan sólo don Quijote cae en el engaño, lo que es muy natural, sino también Sancho, que cada vez va creyendo más y más en las fantasías caballerescas y se va «quijotizando».

El tema del caballo volador hacía más de tres siglos que figuraba en las novelas caballerescas. Adenet li Rois, poeta de la corte de los duques de Brabante, había escrito, entre 1280 y 1294, y en verso francés, una novela titulada *Cléomadès*, cuyo héroe, Marcadigás, hijo del rey de Castilla, se lanza en plena aventura montado en un caballo de madera que vuela por los aires, fabricado por el arte mágico del rey moro Comprars de Bujía. El tema parece tener sus orígenes en un relato de las *Mil y una noches*, y no deja de ser significativo que Adenet li Rois confiese haber escuchado el asunto de su novela de boca de la princesa Blanca de Francia, viuda del príncipe don Fernando de la Cerda, heredero de la corona de Castilla. Es de sospechar, pues, que el tema se divulgó por la Europa cristiana a través de España, y en España había de morir, víctima del humor de Cervantes, en estos capítulos del *Quijote* que el lector de 1615 había de captar en su sentido paródico, ya que de prosificaciones de la citada novela de Adenet li Rois deriva el libro español titulado *Historia de Clamades y Clarmonda*, impreso en 1562. Otras versiones del tema del caballo volador se habían divulgado a través de traducciones italianas de una novela francesa del xv, *Valentin et Orson*.

Sancho en la ínsula Barataria.

El afán burlón del Duque llega al extremo de convertir en fugaz y ficticia realidad el mayor sueño y la suprema ambición de Sancho: ser gobernador de una «ínsula», promesa que tantas veces le había hecho don Quijote. Ordena que durante unos días, en un lugar próximo y del que tiene el señorío, todo el mundo acepte a Sancho Panza como gobernador y finja respetarle, acatarle y obedecerle. Sancho, que no sabe que «ínsula» es una palabra ya entonces arcaica y que significa sencillamente «isla», se convence fácilmente de que aquella aldea aragonesa tan tierra adentro es «la ínsula Barataria». Y es que este arcaísmo era frecuente en los libros de caballerías, y por esto lo usaba don Quijote en su conversación corriente. En el *Amadís de Gaula*, por ejemplo, se citan islas llamadas ínsula Sagitaria, ínsula Triste, ínsula Profunda, ínsula del Lago Ferviente, ínsula Fuerte, ínsula de la Torre Bermeja, ínsula non fallada, ínsula Gravisanda, y lo propio ocurre en otros libros de caballerías.

Don Quijote da a Sancho unos sabios consejos para que sepa cómo comportarse en su gobierno, que a pesar de su profundidad, de su acierto y de su sabia y moralizadora doctrina, no hay que olvidar que sirven de prólogo a una de las mayores y más despiadadas farsas de la novela, y Cervantes los inserta con malicia y buen humor, no con el propósito de transmitirnos viejas enseñanzas morales. Cervantes tuvo aquí en cuenta los clásicos aforismos de Isócrates, ya vertidos en su tiempo al castellano, y otros que aparecen en la obra de Juan de Castilla y Aguayo *El perfecto regidor* (1586) en el *Galateo español* (1593) de Gracián Dantisco y tal vez en el *Galateo* de Giovanni della Casa, que en 1585 se había publicado en español.

Llega Sancho al lugar «de hasta tres mil vecinos» que le han hecho creer que es la Ínsula Barataria, donde es recibido con gran pompa y alegría, y antes de tomar posesión del cargo le informan de que es costumbre que el nuevo gobernador responda a preguntas intrincadas y difíciles a fin de medir su ingenio. Se le exponen tres casos en litigio, y en todos ellos Sancho patentiza poseer un ingenio vivo y despierto, un gran sentido común y un espíritu justiciero. Con ello Cervantes no ha deformado la figura de este rústico personaje, ya que los tres famosos juicios de Sancho —todos ellos registrados en el folklore— ponen de manifiesto una auténtica sabiduría popular, muy posible en un hombre sin letras ni formación, pero con buen sentido práctico y con ingenio innato.

Cuando Sancho, habiendo acreditado sus dotes de gobernador, es llevado ante una mesa provista de los más opíparos manjares, experimenta la primera decepción del poder y del mando: un médico encargado de velar por la salud del gobernador, el doctor Pedro Recio de Agüero, natural de Tirteafuera (lugar que ha escogido Cervantes por lo cómico de su nombre), le prohíbe, por varias razones de salud, que coma de lo que más le apetece y lo reduce a una sana y estrecha dieta, que indigna al escudero.

Sancho reacciona violentamente contra el médico y el régimen que quiere imponerle (porque «oficio que no da de comer a su dueño, no vale dos habas»), pero entonces entra en el comedor un correo del Duque que le anuncia en una misiva que ha sabido que aquella noche unos enemigos han de asaltar la ínsula y quitar la vida a su gobernador. Se organiza la defensa de la plaza. Sancho, grotescamente armado, ronda el lugar acompañado de una escolta, y finalmente estalla una ficticia revolución que convence al gobernador de que él no sirve para tales menesteres. Sancho se despoja de sus armas, recoge a su rucio, que estaba en la caballeriza, se despide patéticamente de sus súbditos haciendo reflexiones sobre la vanidad del poder y las limitaciones humanas, y parte hacia la residencia de los Duques en busca de don Quijote.

En los episodios del gobierno de Sancho hay una intencionada sátira de la ambición y la amarga conclusión de que un gobierno perfecto y justo no pasa de ser una utopía. Cervantes se ha impuesto en estos capítulos una empresa difícil de resolver: hacer a Sancho gobernador sin dañar la verosimilitud de la trama, y ha salido totalmente airoso. En estos capítulos, como en todo el *Quijote,* no hay absolutamente nada arbitrario, ilógico ni dejado al azar o a la casualidad; y la farsa ideada por el Duque se desarrolla tal como éste la había previsto y dentro de la más absoluta verosimilitud.

Don Quijote y Altisidora. Sancho y don Quijote reunidos.

Don Quijote ha permanecido mientras tanto en el palacio de los Duques y ha sido objeto de varias burlas. Una de las doncellas de la Duquesa, Altisidora, moza desenvuelta y decidida, que parece inspirada en la Placerdemivida del *Tirante el Blanco,* ha fingido enamorarse perdidamente de don Quijote, quien a pesar de todas las insinuaciones se mantiene fiel a Dulcinea.

Doña Rodríguez pide seriamente el auxilio de don Quijote para que éste defienda el honor de su hija, episodio que se concluye con la fracasada batalla con el lacayo Tosilos.

Al volver de su gobierno Sancho encuentra al morisco Ricote, que regresaba clandestinamente a España, después de haber sido expulsado de ella de acuerdo con los decretos de 1609 y 1613, y ambos mantienen una divertida plática. Cae después en una sima, donde lo encuentra don Quijote y ambos, después de despedirse de los Duques, remprenden su viaje.

El Quijote y el «Quijote» de Avellaneda.

El encuentro con unos que llevaban las imágenes de san Jorge, san Martín y Santiago (los santos caballeros) y con unas doncellas que se disponían a representar una égloga de Garcilaso y otra de Camoens, constituyen lo único notable de este día de camino, en el que los diálogos son plácidos y agradables; pero la jornada no es completamente feliz, pues una manada de toros los atropella a causa de una temeridad de don Quijote (ahora en manera muy distinta de lo que ocurrió en la segunda salida, pues no toma a la manada por un ejército).

Llegan a una venta («digo que era venta porque don Quijote la llamó así, fuera del uso que tenía de llamar a todas las ventas castillos» puntualiza Cervantes olvidando que desde que ha empezado esta segunda parte no ha vuelto a caer en este engaño), y después de cenar don Quijote oye que unos caballeros que se hospedan en la habitación contigua comentan un libro titulado *La segunda parte de don Quijote de la Mancha*. Se trata del *Quijote* apócrifo, o de Avellaneda, cuya falsedad y cuyos disparates indignan al hidalgo manchego que, a fin de poner de manifiesto que se trata de un libro mentiroso, decide ir a Barcelona en vez de encaminarse a Zaragoza, como era su propósito, ya que en la segunda parte apócrifa el caballero toma parte en unas justas que se celebran en la capital aragonesa: «así sacaré a la plaza del mundo — dice don Quijote — la mentira dese historiador moderno, y echarán de ver las gentes como yo no soy el don Quijote que él dice» (II, 59).

Los bandoleros catalanes y Roque Guinart.

La noche siguiente, en un bosque, Sancho notó, horrorizado, que de los árboles colgaban pies de persona y acudió a don Quijote, quien le dio la siguiente explicación: «No tienes de qué tener miedo, porque estos pies y piernas que tientas y no ves, sin duda son de algunos forajidos y bandoleros que en estos árboles están ahorcados; que por aquí los suele ahorcar la justicia cuando los coge, de veinte en veinte y de treinta en treinta; por donde me doy a entender que debo de estar cerca de Barcelona» (II, 60).

Y así era en efecto, aunque los que colgaban de los árboles no eran ahorcados sino bandoleros vivos que, en cuanto amanece, rodean a don Quijote y a Sancho «diciéndoles en lengua catalana que se estuviesen quedos, y se detuviesen, hasta que llegase su capitán». Aparece éste poco después, y «mostró ser de hasta edad de treinta y cuatro años, robusto, más que de mediana proporción, de mirar grave y color morena; venía sobre un poderoso caballo, vestida la acerada cota, y con cuatro pistoletes — que en aquella tierra se llaman pedreñales —

a los lados»». Impide que los suyos despojen a Sancho Panza y dirigiéndose a don Quijote le dice que esté tranquilo, porque él es Roque Guinart, cuyas manos «tienen más de compasivas que de rigurosas».

Todo este capítulo se llena con la figura del bandolero catalán, hombre de acción, valiente, noble, justiciero a lo romántico y jefe con excepcionales dotes de mando. En todo el episodio el lector advierte, con cierta pena y con desilusión, que don Quijote se eclipsa, se apaga y se transforma en un mero espectador. Las pocas palabras que en este trance pronuncia don Quijote suenan a falso y a arcaico, al lado de la viril eficacia de las de Roque Guinart.

«Tres días y tres noches estuvo don Quijote con Roque, y si estuviera trescientos años, no le faltara qué mirar ni admirar en el modo de su vida: aquí amanecían, acullá comían; unas veces huían, sin saber de quién, y otras esperaban, sin saber a quién. Dormían en pie, interrompiendo el sueño, mudándose de un lugar a otro. Todo era poner espías, escuchar centinelas, soplar las cuerdas de los arcabuces, aunque traían pocos, porque se servían de pedreñales» (II, 61). Don Quijote admira a Roque Guinart porque cuando sus bandoleros llevan a su presencia a unos viajeros que acaban de apresar, entre los que se encuentran dos capitanes de infantería y unas damas, no les hace daño alguno porque «no es su intención agraviar a soldados ni a mujer alguna, especialmente a las que son principales». Ya veremos el episodio de Claudia Jerónima, pero ahora conviene precisar que Roque afirma que pertenece a la facción de los «nyerros», enemigos de los «cadells», que extiende salvoconductos para que puedan circular por las tierras que dominan con los hombres las personas que él desea, y que recomienda por carta a don Quijote a un amigo suyo de Barcelona, don Antonio Moreno.

La aparición de Roque Guinart en las páginas del *Quijote* es algo insólito en la novela. En ella todos los personajes son imaginarios y producto de la fantasía y el arte de Cervantes; y aunque ya vimos que los Duques, por ejemplo, parecen inspirados en los de Villahermosa, el novelista se guarda muy

130

bien de afirmar que lo sean, pues éstos pueden ser los «modelos» de aquéllos, pero no hay identidad entre unos y otros. Roque Guinart en cambio es un personaje rigurosamente histórico y contemporáneo no tan sólo a los sucesos que se narran en el *Quijote* sino al momento en que Cervantes está escribiendo. Ya en el entremés de *La cueva de Salamanca* Cervantes había mencionado, con gran simpatía, a este bandolero, al hacer decir a un estudiante: «Robáronme los lacayos o compañeros de Roque Guinarde en Cataluña, porque él estaba ausente; que, a estar allí, no consintiera que se me hiciera agravio, porque es muy cortés y comedido y además limosnero».

En las páginas del *Quijote* el histórico y real Perot Rocaguinarda se introduce con su mismo nombre (de hecho Roqueguinard, más fielmente conservado en el entremés aludido), con su misma fisonomía (como se advierte por las descripciones de los bandos de la justicia cuando se le buscaba) y su edad, pues, habiendo nacido en 1582, el bandolero tenía treinta y tres años al publicarse la segunda parte del *Quijote*. Hacía muy poco, en 1611, Rocaguinarda, tras haber dominado con sus bandoleros el Montseny, la Segarra y las cercanías de Barcelona, se había acogido al indulto ofrecido por el virrey Pedro Manrique, y el 30 de junio de aquel año obtuvo la remisión a cambio de comprometerse a servir al Rey durante diez años en Italia o Flandes; y realmente pasó a Nápoles como capitán de un tercio de tropas regulares. No era la primera vez que ello ocurría, pues en 1588 don Luis de Queralt había reclutado un tercio entre bandoleros catalanes, que constó de tres mil hombres y que se distinguió en Flandes con el nombre de «Tercio Negro de los valones de España», llamado así por donaire a causa de que sus componentes apenas sabían hablar castellano.

El bandolerismo era un mal endémico en Cataluña, contra el cual luchaban con poco éxito los virreyes. Y precisamente mientras Cervantes está escribiendo la segunda parte del *Quijote,* o sea en diciembre de 1613, una facción de bandoleros catalanes había asombrado a toda España por su audacia y fuerza, pues al mando de un tal Pere Barbeta, había asaltado en el camino real, entre Hostalets de Cervera y Montmaneu (el itinerario que debió de seguir don Quijote), las ciento once cargas de la plata que, procedente de Indias, se enviaba a Italia, como puede comprenderse con una buena custodia. La partida de Barbeta había robado 180.000 ducados. Téngase en cuenta, además, que el bandolerismo catalán mantenía estrechas relaciones con los hugonotes franceses, lo que daba a este fenómeno, en parte derivado de luchas feudales medievales, un actualísimo matiz político, que explica la intranquilidad y las medidas tomadas por los virreyes de Cataluña. Es significativo que un famoso bandido catalán fuera conocido por el mote de «Lo Luterà». En las filas del bandolerismo militaba buen número de gascones, en clara relación con Francia y con los hugonotes, y en este aspecto no hay que olvidar que Cervantes afirma que los bandoleros de Roque Guinart «los más eran gascones, gente rústica y desbaratada» (II, 60), y que Quevedo, hablando de los bandoleros de Cataluña, dice que la mayoría eran «gabachos y gascones y herejes delincuentes de la Languedoca» (*La rebelión de Barcelona*). Observemos, finalmente, que las partidas de bandoleros, que merodeaban por lugares montañosos, tenían sus amigos y valedores en Barcelona, donde Rocaguinarda estuvo un tiempo escondido; y ello nos explica que el Roque Guinart del *Quijote* recomiende el hidalgo manchego a su amigo don Antonio Moreno, residente en la ciudad.

Todos estos datos nos hacen ver que al llegar a este episodio la novela de Cervantes no tan sólo refleja una realidad sino unos hechos que apasionaban y que trascendían. Cervantes ofrece una visión extraordinariamente favorable del bandolero Rocaguinarda, que, no lo olvidemos, en los momentos en que se está escribiendo la novela ya es un capitán de tercios y está en Nápoles. Pero a pesar de todo no deja de ser curiosa la actitud de nuestro escritor al pintar de un modo tan favorable no tan sólo a gentes que acababan de robar la plata de Indias sino que, como sabría todo el mundo, mantenían estrecha relación con Francia y con los hugonotes. Sea lo que fuere, al llegar a estos capítulos el *Quijote* adquiere un nuevo sesgo, muy acusado en la trama de la novela, pues no tan sólo nos coloca ante un problema español que a todos preocupaba sino que hace aparecer un dramatismo y un espíritu de aventura que hasta ahora han estado totalmente ausentes de las dos partes de la obra.

Don Quijote y la aventura de veras.

Entramos ahora en la última fase del *Quijote,* muy distinta de las anteriores. Recordemos que en su primera salida don Quijote no tan sólo desfiguraba la realidad sino que desdoblaba su personalidad de un modo que no volverá a aparecer en la novela; que en su segunda salida, sólo desfigura la realidad, y cuantos le rodean, Sancho en primer lugar, le quieren sacar de su error; y en la tercera salida, hasta ahora, los que rodean a don Quijote, como Sancho y los Duques, se han encargado de engañarle desfigurándole la realidad cuando precisamente la ve tal como es. Don Quijote había salido de su aldea en busca de aventuras, de maravillas y de ocasiones propicias para realizar hazañas e imponer la justicia en el mundo. En la Mancha no ocurre absolutamente nada extraordinario: todo es vulgar, normal, anodino y rutinario, y don Quijote lo sublima y lo idealiza al estilo caballeresco. Cuando va hacia Aragón, donde está situado el palacio de los Duques, todo sigue siendo igual y el ambiente continúa no apropiado a la aventura; pero el ingenio o la malicia de los que circundan a don Quijote lo transforma en un mundo caballeresco y fantástico. Don Quijote va en busca de la aventura: primero se la crea él mismo en la Mancha y luego se la crean los demás en Aragón; pero donde ha de encontrarla de veras es en Cataluña.

Roque Guinart y su cuadrilla, arrancados de la verdad misma, inmediata y contemporánea, constituyen los primeros seres de aventura con que topa don Quijote en su vagar por las tierras de España. Por fin don Quijote se ha encontrado con las buscadas aventuras, no soñadas ni fingidas, sino reales. A poco de estar con los bandoleros llega ante Roque Guinart una joven mujer, Claudia Jerónima, que acaba de herir mortalmente a su burlador don Vicente Torrellas (II, 60). Es ésta la primera sangre que se derrama en el *Quijote,* sangre real, no como la de Basilio, que era «industria, industria». Claudia Jerónima, situada exactamente en la misma situación que Dorotea frente a don Fernando, ha reaccionado con la mayor de las violencias. Roque Guinart, sin hacer caso alguno de don Quijote, que se ofrece a vengar a Claudia Jerónima, lleva a ésta ante su moribundo amante, que expira en sus brazos.

Poco después, cuando se reparten el botín de una presa, uno de los bandoleros opina que Roque Guinart se muestra poco equitativo con los de su cuadrilla: «No lo dijo tan paso el desvergonzado, que dejase de oírlo Roque, el cual, echando mano a la espada, le abrió la cabeza casi en dos partes» (II, 60). Segunda muerte violenta en las páginas de nuestra novela, a muy poco trecho de la primera.

Don Quijote y Sancho en Barcelona.

Gracias al salvoconducto que les extiende Roque Guinart para que sus cuadrillas no les entorpezcan el camino, don Quijote y Sancho llegan a Barcelona, y aquellos dos seres de tierra adentro, nacidos y criados en una aldea, se sumen en la movida y multiforme vida de una gran ciudad, que contaba entonces unos 33.000 habitantes, donde les esperan las mayores maravillas y el mayor desengaño. Es una hermosa mañana, «el mar alegre, la tierra jocunda, el aire claro» (II, 61); y el mar, sobre todo, que ni don Quijote ni Sancho habían visto hasta entonces, les llena de asombro, así como el bullicio del puerto, las galeras de la playa, los caballeros, los soldados... Es un mundo nuevo para estos dos manchegos, que hasta ahora han vivido reposada y monótonamente.

Un caballero barcelonés, don Antonio Moreno, amigo de Roque Guinart, los acoge con gran afecto, y celebra en su casa una fiesta en honor de don Quijote, en la cual se exhibe a todos los asistentes una maravillosa cabeza de bronce, sostenida por un pie de jaspe, que posee la sorprendente y mágica virtud de responder atinadamente a cuanto se le pregunta. La cabeza da respuestas ingeniosas o ambiguas a algunas preguntas que se le hacen y a don Quijote y a Sancho contesta vagamente sobre la cueva de Montesinos, el desencanto de Dulcinea y las posibilidades de un nuevo gobierno. Cervantes se apresura a aclarar que tal cabeza estaba montada sobre un tubo que comunicaba con un aposento del piso inferior, donde se situaba un sobrino de don Antonio Moreno que desde allí oía las preguntas y daba las respuestas. Pero obsérvese que este ardid mecánico se ofrece como algo mágico no tan sólo a don Quijote y a Sancho sino también a todos los demás concurrentes a la fiesta, que ignoran el artificio; hasta tal punto que el rumor de tal prodigio se extendió por Barcelona y los inquisidores ordenaron al propietario de la cabeza que la destruyese.

Poco después don Quijote visita una imprenta, lo que da pie a comentarios literarios sobre los libros que se están componiendo y estampando y a que Cervantes exponga sus opiniones sobre el arte de traducir y, sobre todo, para que ataque nuevamente al *Quijote* de Avellaneda.

Guerra de veras contra turcos.

Don Antonio Moreno y sus amigos llevan a don Quijote y a Sancho a visitar una galera. Cervantes, buen conocedor de la vida del mar, describe con gran precisión y con los términos técnicos apropiados las maniobras de la marinería. Cuando la chusma deja caer con gran estrépito la entena, advertimos algo inesperado e insólito en el protagonista de la novela: «No las tuvo todas consigo don Quijote; que también se estremeció y encogió de hombros y perdió la color del rostro» (II, 63). Es evidente que don Quijote, tan valiente siempre, ahora tiene miedo. Súbitamente desde el castillo de Montjuich se hacen señas de alarma: un bergantín turco se halla próximo a la costa, y la galera en que se encuentran como visitantes don Quijote y Sancho, junto con otras tres, se hace a la mar en su captura.

Por vez primera ha aparecido en el *Quijote* la guerra. Guerra auténtica, aunque se limite a una escaramuza entre cuatro navíos, pero guerra precisamente contra los turcos, que no tan sólo eran en aquel momento el más temible enemigo de España y de la Cristiandad, sino el enemigo contra quien habían luchado y vencido mil veces los caballeros andantes de los libros. Frente a don Quijote se halla un navío turco, como aquellos que jamás arredraron a Tirante el Blanco, a Esplandián, a Lisuarte de Grecia, a Palmerín de Oliva ni a Miguel de Cervantes. Don Quijote tiene a mano la ocasión esperada toda su vida.

Los turcos disparan sus escopetas y matan a dos soldados españoles. Es la primera vez en la vida que don Quijote oye disparos bélicos y que ve caer a su lado a combatientes. El general de las galeras españolas, cuyo nombre calla Cervantes, pero que dice que era «un principal caballero valenciano», embiste con furia el bergantín enemigo y lo alcanza. Resulta luego que el arráez del bergantín es la hermosa morisca Ana Félix, la hija de Ricote, que se fugaba de Argel, y que el bergantín no se había acercado a Barcelona en son de guerra. Pero ha habido un pequeño combate naval, se han disparado armas de fuego y han muerto dos soldados; y mientras tanto, desde que el vigía de Montjuich ha dado la señal de alarma hasta que acaba el episodio y el capítulo con él, el nombre de don Quijote ha estado totalmente ausente de las páginas de la novela, ahora, precisamente, que la realidad le ofrecía la aventura más hermosa y más acomodada a lo que tantas veces había leído en los libros de caballerías.

Cuando todo ya está zanjado, se hallan ya en tierra firme y ha desaparecido todo riesgo de tiros y de guerra, y se trata de que es preciso ir a Argel para libertar a don Gaspar Gregorio, empresa que se encomienda a un renegado, entonces vuelve a oírse la voz de don Quijote, que opina que «sería mejor que le pusiesen a él en Berbería con sus armas y caballo, que él le sacaría, a pesar de toda la morisma» (II, 64). Nadie le hace caso, porque como se trata de una aventura «de veras» las locuras de don Quijote no divierten.

El desencanto y la melancolía del *Quijote* no está, como tantas veces se ha repetido, en el contraste entre el idealismo del héroe y la prosaica y vulgar realidad, sino en lo que estamos leyendo ahora, en estos capítulos que transcurren en Cataluña. Vemos con auténtica lástima que todo el ardor caballeresco de don Quijote se desmorona y se aniquila cuando el hidalgo manchego es situado frente a lo que exige valentía y heroísmo. Y nos confirmamos de que su locura es puramente intelectual o libresca, y que el *Quijote* no es una sátira del heroísmo ni de la caballería, sino de la literatura caballeresca.

Desde que ha entrado en contacto con Roque Guinart don Quijote ha perdido volumen. Al lado del bandolero queda relegado al plano de un comparsa, pues por vez primera ha topado con un aventurero de veras, no moldeado sobre libros de caballerías sino arrancado de la vida española contemporánea, con su mismo nombre, edad y aspecto físico. En el combate naval se ha esfuminado hasta borrarse de las páginas de la novela. Ahora, en estos capítulos catalanes, don Quijote ni tan sólo hace gracia con sus locuras. Y es que el final de don Quijote está muy próximo.

El Caballero de la Blanca Luna vence a don Quijote.

La tristeza que produce en el lector la actitud de don Quijote frente a los aventureros de verdad y frente a las aventuras reales prepara el ambiente y el sentido del final de la vida caballeresca del hidalgo manchego.

Dos días después del combate naval llega a Barcelona un caballero armado de punta en blanco y en cuyo escudo estaba pintada una resplandeciente luna, el cual encuentra a don Quijote en la playa y lo reta a singular combate si no quiere confesar que su dama, «sea quien fuere», es mucho más hermosa que Dulcinea del Toboso. El recién llegado, que dice ser el Caballero de la Blanca Luna, insiste en dar allí mismo la batalla, ante el virrey de Cataluña, don Antonio Moreno y un grupo de curiosos que ha acudido a presenciar el combate. Éste es muy rápido y se narra en pocas líneas: don Quijote y Rocinante ruedan por la arena, y el Caballero de la Blanca Luna pone la lanza sobre la visera del vencido y le anuncia que va a morir si no confiesa las condiciones del desafío. Don Quijote, con voz débil, «como si hablara dentro de una tumba», pronuncia estas impresionantes palabras:

137

«—Dulcinea del Toboso es la más hermosa mujer del mundo, y yo el más desdichado caballero de la tierra, y no es bien que mi flaqueza defraude esta verdad. Aprieta, caballero, la lanza, y quítame la vida, pues me has quitado la honra» (II, 74). Un detalle que podría pasar inadvertido da dramatismo y autenticidad a estas palabras: la ausencia de arcaísmos, que en otras ocasiones tanto prodiga don Quijote en su hablar caballeresco. No ha dicho «fermosa», «cautivo», «aquesta», sino «hermosa», «desdichado», «esta». En este tan doloroso trance, el más lastimoso y triste de su vida, don Quijote se ha quitado la máscara del lenguaje libresco y ha hablado con verdad.

El Caballero de la Blanca Luna replica que «viva en su entereza la fama de la hermosura de la señora Dulcinea del Toboso» y que él se contenta con que don Quijote se retire a su lugar un año, o el tiempo que le mandare. Luego revela a don Antonio Moreno su personalidad: es el bachiller Sansón Carrasco, que deseoso de curar a don Quijote de su locura ha recurrido a esta estratagema.

Regreso de don Quijote a su aldea.

Después de su vencimiento don Quijote pasó seis días en la cama, debilitado y melancólico, hasta que inició el regreso. Las jornadas de la vuelta están llenas de tristeza: don Quijote desarmado y sobre Rocinante, Sancho a pie y el rucio de éste cargado con las armas del hidalgo manchego. El escudero es ahora quien, para animar el abatido ánimo de su amo, le habla a menudo de trances de libros de caballerías y lo consuela diciéndole que, pasado el plazo impuesto por el de la Blanca Luna, volverán en busca de aventuras.

Van pasando los días de viaje sin que ocurra nada de particular. Don Quijote planea entregarse a la vida pastoril durante el tiempo de su forzosa inactividad caballeresca: él será el pastor Quijótiz, Sancho el pastor Pancino, el bachiller el pastor Carrascón y hasta el cura será el pastor Curiambro. A Dulcinea no será preciso mudarle el nombre, pues «cuadra así al de pastora como al de princesa» (II, 67).

Estos proyectos pastoriles nos hacen ver, una vez más, que don Quijote es un monomaníaco de la literatura, que ahora, obligado a abandonar las quimeras caballerescas, quiere imitar, no a los pastores de verdad, sino a los ficticios personajes de las novelas pastoriles, de las cuales no estaba mal provista su biblioteca.

La monotonía del regreso es interrumpida por la «cerdosa aventura» (amo y criado son atropellados por una piara de seiscientos cerdos) y por una nueva farsa de que les hacen objeto los Duques cuando vuelven a pasar por sus dominios, insistiendo en el tema del fingido enamoramiento de la desenvuelta Altisidora (II, 68-70). Durante el regreso los azotes que debe darse Sancho para desencantar a Dulcinea constituyen un motivo de discusión entre amo y criado, el cual recurre al embuste de azotar los árboles para que aquél crea que se está vapuleando.

Al hospedarse en el mesón de un lugarejo traban conocimiento con un caballero llamado don Álvaro Tarfe, que es un personaje que aparece en el *Quijote* de Avellaneda, el cual da fe de que el don Quijote y Sancho que figuran en la segunda parte apócrifa no son los auténticos.

Llegan, por fin, don Quijote y Sancho a su lugar, donde son recibidos con gran alegría por el cura, el barbero y el bachiller Sansón Carrasco, que, desde luego, don Quijote no llegó a identificar como Caballero de la Blanca Luna, pues ya cuidó bien de no descubrir el rostro.

Muerte de don Quijote.

Melancólico y apesadumbrado don Quijote con su derrota y esperando vanamente el desencanto de Dulcinea, cayó enfermo. Seis días le duró la calentura, y al postrero, tras un largo sueño, se despertó diciendo con voz fuerte: «— ¡Bendito sea el poderoso Dios, que tanto bien me ha hecho! En fin, sus misericordias no tienen límite, ni las abrevian ni impiden los pecados de los hombres». Ante la sorpresa de todos, don Quijote ha recuperado la razón, y él mismo lo afirma: «Yo tengo juicio ya, libre y claro, sin las sombras caliginosas de la ignorancia, que sobre él me pusieron mi amarga y continua leyenda [lectura] de los detestables libros de las caballerías». Y ante sus amigos dice que ya no es don Quijote de la Mancha, «sino Alonso Quijano, a quien mis costumbres me dieron renombre de Bueno». Acto seguido pide confesión y la presencia del escribano para hacer testamento. Sancho, llorando sinceramente entristecido, quiere animar al moribundo diciéndole que se apreste a emprender la vida pastoril, que tal vez encontraría a Dulcinea desencantada, y que no le apene verse vencido, pues si fue derribado tal vez se debió a que él cinchó mal a Rocinante. Don Quijote insiste en que ya está cuerdo y sigue enunciando al escribano sus últimas disposiciones. Deja su hacienda a su sobrina, a condición de que si se casa ha de ser con hombre que ignore qué son libros de caballerías... Deja algunos dineros al ama y a Sancho y hace alusión, en el testamento, al *Quijote* de Avellaneda. Don Quijote entra en la agonía: «Andaba la casa alborotada; pero, con todo, comía la sobrina, brindaba el ama, y se regocijaba Sancho Panza; que esto del heredar algo borra o templa en el heredero la memoria de la pena que es razón que deje el muerto» (II, 74).

Muere don Quijote, y Cide Hamete Benengeli se despide de su pluma con nuevas pullas a Avellaneda, y acaba la novela con las siguientes palabras: «No ha sido otro mi deseo que poner en aborrecimiento de los hombres las fingidas y disparatadas historias de los libros de caballerías, que por las de mi verdadero don Quijote van ya tropezando, y han de caer del todo, sin duda alguna».

EL «QUIJOTE» DE AVELLANEDA

Un año antes de publicarse la segunda parte del *Quijote* escrita por Miguel de Cervantes apareció un libro con pie de imprenta de Felipe Roberto, de Tarragona, 1614, con el siguiente título: *Segundo Tomo del Ingenioso Hidalgo don Quijote de la Mancha, que contiene su tercera salida y es la quinta parte de sus aventuras, compuesto por el Licenciado Alonso Fernández de Avellaneda, natural de la villa de Tordesillas* (téngase en cuenta que se dice que es la «quinta parte» de las aventuras de don Quijote porque Cervantes había dividido el primer tomo en cuatro partes).

En este segundo tomo se narran nuevas aventuras de don Quijote y Sancho a partir del momento en que llegan a su aldea (aquí identificada con Argamasilla) unos caballeros granadinos que se encaminan a Zaragoza para participar en unas justas. Uno de ellos, don Álvaro Tarfe, se aloja en casa de don Quijote y ambos departen amistosamente hasta que aquél descubre la locura de éste, que el día siguiente decide volver a emprender la vida caballeresca y asistir a las justas zaragozanas. Don Quijote sale con Sancho Panza y adopta el nombre de El Caballero Desamorado, ya que ha renunciado al amor de Dulcinea. En Zaragoza, después de haber sido encarcelado, don Quijote toma parte en las justas y gana el premio. Camino de Alcalá se incorpora a la pareja una desagradable mujer, Bárbara, a quien don Quijote llama la reina de Cenobia. El hidalgo tiene grotescas aventuras en Alcalá y en Madrid, donde Sancho se queda sirviendo a un marqués. Don Álvaro Tarfe recluye finalmente a don Quijote en la casa de locos de Toledo.

El autor de esta continuación ha llevado a don Quijote a las justas de Zaragoza porque ello lo anuncia Cervantes en la primera parte de la novela, y ha hecho del protagonista caballero desamorado porque evidentemente no ha comprendido el personaje de Dulcinea o no se ha visto capaz de mantener tan sutil invención. Como en la primera salida del don Quijote auténtico, el creado por Avellaneda sufrirá constantes desdoblamientos de la personalidad, y se creerá ser Bernardo del Carpio, el Cid, Fernán González, Aquiles, Fernando el Católico, etc.

La obra está escrita con indudable gracia y encierra méritos no despreciables, tiene episodios acertados e incluso algunos graciosos, pero como sea que el lector no puede evitar la constante comparación con el *Quijote* de Cervantes, forzosamente se siente defraudado a cada paso y advierte la gran distancia que media entre la obra auténtica y la apócrifa. La figura de Sancho Panza, sobre todo, es en Avellaneda un remedo exagerado del tipo cervantino.

El hecho de que un escritor continúe una obra empezada por otro no es un fenómeno raro en la literatura española, donde hallamos la *Diana* de Jorge de Montemayor continuada desacertadamente por Alonso Pérez y con gran acierto por Gil Polo, donde la *Celestina* es objeto de una segunda y una tercera parte y el *Lazarillo de Tormes* de dos continuaciones, una anónima y otra de Juan de Luna. En la literatura caballeresca el fenómeno era muy corriente, y el mismo Montalvo, con *Las sergas de Esplandián,* no hacía más que continuar el *Amadís de Gaula,* que él mismo había refundido. No obstante, en el caso de Avellaneda la continuación encierra cierto fraude, ya que evidentemente el continuador se esconde bajo seudónimo (como hizo el valenciano Juan Martí cuando, con el seudónimo de Mateo Luján de Sayavedra, publicó una segunda parte apócrifa del *Guzmán de Alfarache*) y hace preceder su obra de un prólogo lleno de insultos a Cervantes. Éste le responde en la dedicatoria al conde de Lemos y en el prólogo y capítulos 59, 62, 70, 72 y 74 de su segunda parte.

Avellaneda empieza diciendo que su prólogo será «menos cacareado y agresor de sus lectores que el que a su primera parte puso Miguel de Cervantes Saavedra»; que uno de los medios que tomó éste para atacar los libros de caballerías fue «el ofender a mí, y particularmente a quien tan justamente celebran las naciones más extranjeras y la nuestra debe tanto, por haber entretenido honestísima y fecundamente tantos años los teatros de España con estupendas e innumerables comedias, con el rigor del arte que pide el mundo, y con la seguridad y limpieza que de un ministro del Santo Oficio se debe esperar», diáfana alusión a Lope de Vega. Añade Avellaneda que su segunda parte está amenizada «con las simplicidades de Sancho Panza, huyendo de ofender a nadie ni de hacer ostentación de sinónimos voluntarios», lo que significa que se ha encontrado aludido en el *Quijote* de Cervantes. Trata a éste de viejo mal contentadizo y murmurador y hace juegos de palabras sobre la mano herida o anquilosada del escritor.

Cervantes, en el prólogo de su segunda parte, contesta a los insultos y reticencias de Avellaneda: «Lo que no he podido dejar de sentir es que me note de viejo y de manco, como si hubiera sido en mi mano haber detenido el tiempo, que no pasase por mí, o si mi manquedad hubiera nacido en alguna taberna, sino en la más alta ocasión que vieron los siglos pasados, los presentes, ni esperan ver los venideros». Protesta de que lo llame envidioso, y refiriéndose a Lope de Vega, escribe: «No tengo yo de perseguir a ningún sacerdote, y más si tiene por añadidura ser familiar del Santo Oficio; y si él lo dijo por quien parece que lo dijo, engañóse de todo en todo; que del tal adoro el ingenio, admiro las obras, y la ocupación continua y virtuosa». Hay en estas seis últimas palabras una reticencia llena de mala intención, ya que era pública y notoria la vida desordenada que, a pesar de los hábitos, llevaba Lope.

Cervantes afirma que el autor del *Quijote* apócrifo encubrió su nombre y fingió su patria, con lo que nos revela que ni se llamaba Alonso Fernández de Avellaneda ni era natural de Tordesillas. Más adelante dice que «el lenguaje es aragonés, porque tal vez [o sea: "algunas veces"] escribe sin artículos» (II, 59), afirmación cuyo alcance es difícil de medir, ya que suprimir los artículos no es característica dialectal aragonesa. Realmente, en el *Quijote* de Avellaneda se notan a faltar, algunas veces, los artículos determinados e indeterminados, y con más frecuencia la preposición «de», que algunos gramáticos denominaban artículo. En su texto abundan las voces y expresiones aragonesas, y aunque alguna vez se hallan palabras en forma catalana, ello es achacable al impresor de Tarragona. El ambiente aragonés, además, está reproducido con acierto. Cervantes supo indudablemente quién se escondía bajo el seudónimo de Avellaneda, entre otras razones porque se había burlado de él en la primera parte del *Quijote* con «sinónimos voluntarios», que la crítica no ha logrado desentrañar. Su venganza consistió, fundamentalmente, en no revelarnos quién fue su enemigo y competidor, que sigue en el más absoluto de los anónimos.

Debido al *Quijote* de Avellaneda, Cervantes cambió la ruta de su protagonista, que había anunciado que iría a Zaragoza, y de la segunda parte apócrifa tomó el personaje de don Álvaro Tarfe, precisamente para desmentir su fábula. Y a fin de distinguir la segunda parte auténtica de la falsa, tituló la suya «Segunda parte del ingenioso *caballero* don Quijote de la Mancha, por Miguel de Cervantes Saavedra, *autor de su primera parte*». Entre ambas segundas partes hay ciertos paralelismos difíciles de interpretar, pues parece que una de ellas conoce el texto de la otra (por ejemplo en la apócrifa hay un episodio muy similar al del retablo de maese Pedro), siendo así que se escribieron simultáneamente. De todos modos gracias al *Quijote* de Avellaneda tenemos la segunda parte de Cervantes, ya que éste, al publicarse el libro apócrifo, se apresuró a continuar la redacción de su obra, que apareció cinco meses antes de la muerte del gran escritor.

La personalidad del autor del *Quijote* de Avellaneda no ha sido dilucidada, y ello constituye uno de los mayores arcanos de la historia de la literatura española. Con argumentos más o menos serios, pero nunca definitivos, se ha propuesto como autores del falso *Quijote* a fray Andrés Pérez, Juan Blanco de Paz, fray Luis de Aliaga, Lope de Vega, Quevedo, Alfonso Lamberto (tesis de Menéndez y Pelayo), Cristóbal de Fonseca, Liñán de Riaza, Guillén de Castro, Alonso de Ledesma, Castillo Solórzano, Vicente García (rector de Vallfogona), Jerónimo de Pasamonte, etc.

El «Quijote» parodia.

Jamás dio Cervantes el nombre de novela a sus narraciones extensas, la *Galatea*, el *Quijote* y el *Persiles,* pues tal denominación estaba reservada a relatos más breves, como, dentro del mismo *Quijote,* el del Curioso Impertinente, llamado «novela», y los incluidos en el conjunto de *Novelas ejemplares.* Pero como sea que actualmente se da en español el nombre de novela a la narración extensa, llamaremos novela al *Quijote,* habiendo advertido que ello no es propio. El *Quijote* es una novela satírica y burlesca, lo que hoy llamamos humorística, y como tal fue recibida por los contemporáneos de Cervantes. Éste indica en el prólogo de la primera parte que procurará que «el melancólico se vuelva a risa, el risueño la acreciente», y son muchas las veces en que insiste en su propósito de divertir al lector y de hacerle reír. Para conseguir este propósito Cervantes ridiculiza y satiriza algo que es preciso determinar exactamente. Con harta frecuencia se ha dicho que el *Quijote* es una sátira de la caballería, del heroísmo y del noble idealismo, y se ha querido ver en él una especie de libro derrotista, que ridiculizaba las más altas ambiciones al hacerlas fracasar constantemente en cuanto se oponían a la realidad elemental y materialista.

En el anterior análisis del *Quijote* se han destacado algunos episodios, rasgos y recursos estilísticos que dejan bien claro que Cervantes parodia los absurdos y las peregrinas fantasías de los libros de caballerías. Nuestro escritor ataca, pues, un género literario determinado, en lo que su propósito inicial se acomoda

145

perfectamente con las opiniones de moralistas y autores graves de su tiempo. Lo que Cervantes se propone desacreditar es la caricatura del heroísmo que aparece en las degeneraciones de la novela caballeresca medieval y evitar la confusión entre el héroe de veras y el héroe fabuloso.

El escritor portugués João de Barros, en su *Espelho de casados,* publicado hacia 1556, recomendaba a los jóvenes que en vez de perder el tiempo leyendo las hazañas de Esplandián leyeran los libros de Tito Livio, Valerio Máximo, Quinto Curcio, Suetonio, Eutropio y otros historiadores que relataron hazañas ciertas y más provechosas. Malón de Chaide, en *La conversión de la Magdalena,* escribe estas palabras: «Y si a los que estudian y aprenden a ser cristianos en estos catecismos [los libros de caballerías] les preguntáis que por qué los leen y cuál es el fruto que sacan de su lección, responderos han que allí aprenden osadía y valor para las armas, crianza y cortesía para con las damas, fidelidad y verdad en sus tratos, y magnanimidad y nobleza de ánimo en perdonar a sus enemigos; de suerte que os persuadirán que *Don Florisel* es el *Libro de los Macabeos, Don Belianís,* los *Morales* de san Gregorio, y *Amadís,* los *Oficios* de san Ambrosio, y *Lisuarte,* los *Libros de Clemencia* de Séneca, por no traer la historia de David, que a tantos enemigos perdonó. Como si en la Sagrada Escritura y en los libros que los santos escritores han escrito faltaran puras verdades, sin ir a mendigar mentiras; y como si no tuviéramos abundancia en ejemplos famosos, en todo linaje de virtud que quisiéremos, sin andar a fingir monstruos increíbles y prodigiosos».

La misma argumentación, pero seguida de un modo sin duda más inteligente y mucho más eficaz, aparece en el *Quijote,* cuando el canónigo responde a las fantasías del hidalgo manchego con las siguientes palabras: «¿Cómo es posible que haya entendimiento humano que se dé a entender que ha habido en el mundo aquella infinidad de Amadises, y aquella turbamulta de tanto famoso caballero, tanto emperador de Trapisonda, tanto Felixmarte de Hircania, tanto palafrén, tanta doncella andante, tantas sierpes, tantos endriagos, tantos gigantes, tantas inauditas aventuras, tanto género de encantamientos, tantas batallas, tantos desaforados encuentros, tanta bizarría de trajes, tantas princesas enamoradas, tantos escuderos condes, tantos enanos graciosos, tanto billete, tanto requiebro, tantas mujeres valientes y, finalmente, tantos y tan disparatados casos como los libros de caballerías contienen…? ¡Ea, señor don Quijote, duélase de sí mismo, y redúzgase al premio de la discreción, y sepa usar de la mucha que el cielo fue servido de darle, empleando el felicísimo talento de su ingenio en otra letura que redunde en aprovechamiento de su conciencia y en aumento de su honra! Y si todavía, llevado de su natural inclinación, quisiere leer libros de hazañas y de caballerías, lea en la Sagrada Escritura el de los Jueces; que allí hallará verdades grandiosas y hechos tan verdaderos como valientes. Un Viriato tuvo Lusitania; un César, Roma; un Anibal, Cartago; un Alejandro, Grecia; un conde Fernán González, Castilla; un Cid, Valencia; un Gonzalo Fernández, Andalucía; un Diego García de Paredes, Estremadura; un Garci Pérez de Vargas, Jerez; un Garcilaso, Toledo; un don Manuel de León, Sevilla; cuya lección de sus valerosos hechos puede entretener, enseñar, deleitar y admirar a los más altos ingenios que los leyeren» (I, 49).

Esta frase tiene una importancia decisiva, ya que por boca del canónigo está hablando el propio Cervantes y señalando un punto de vista clave en la intención del *Quijote*. Frente al caballero *literario* Cervantes opone el caballero *real*. Admite, celebra y admira las hazañas de los héroes antiguos, como Josué, Alejandro, Anibal, Viriato y César; los héroes de la España medieval, como Fernán González y el Cid; y, finalmente, los héroes casi contemporáneos, como Diego García de Paredes, el Garcilaso de la guerra de Granada, el Gran Capitán, etc. Tras las palabras del canónigo, don Quijote vuelve a disparatar, defendiendo la autenticidad histórica de Amadís, los doce pares y otros caballeros fabulosos, y llega a tal extremo su confusión que los iguala y equipara a otros caballeros históricos, como Juan de Merlo, Pedro Barba, Gutierre Quijada, Fernando de Guevara, Luis de Falces, Gonzalo de Guzmán, Suero de Quiñones y otros cuyas auténticas hazañas tuvieron lugar en el siglo XV castellano y aparecen relatadas en la *Crónica de Juan II*.

Ésta es la auténtica caballería, y por lo que a éstos se refiere, el canónigo admite de buen grado su existencia y sus proezas, y añade: «En lo que hubo Cid no hay duda, ni menos Bernardo del Carpio; pero de que hicieron las hazañas que dicen, creo que la hay muy grande».

Frente a los exóticos caballeros andantes, derivados del antiguo *roman* francés que inició Chrétien de Troyes, Cervantes levanta la tradición heroica castellana, fiel a la historia y a la realidad, y continuada hasta tiempos muy recientes en figuras de tanto relieve como Suero de Quiñones, cuyas reales empresas parecen una novela; como Diego García de Paredes, el forzudo gigante que era llamado el Sansón de Extremadura; como el Gran Capitán, verdadero genio de la táctica y la estrategia militares. En el histórico heroísmo de estos caballeros de verdad, Cervantes señala un ejemplo a sus contemporáneos y al futuro, como escritor compenetrado con la mesura del Renacimiento y como soldado que realmente sabe qué es el combatir y qué es el heroísmo.

No caigamos en el error de creer que Cervantes en el *Quijote* satiriza la caballería, se burla de ella y la desprecia. Lo que hace es centrarla en su realidad y apartar, con la parodia, la ironía y el sarcasmo, la caballería literaria, en el fondo extranjerizante, que con la desbordante y fabulosa exageración tendía a empequeñecer y minimizar el heroísmo auténtico. No tenía razón lord Byron cuando en su *Don Juan* escribía aquellos tan repetidos versos:

Cervantes smiled Spain's chivalry away;
   a single laugh demolished the right arm
of his own country; seldom since that day
   has Spain had heroes. While Romance could charm,
the world gave groun before her bright array;
   and therefore have his volumes done such harm,
that all their glory, as a composition,
   was dearly purchased by his land's perdition.

«Cervantes ahuyentó con una sonrisa la caballería española; su sola risa bastó para quebrantar la diestra de su patria; España ha podido tener héroes a partir de ese día. Mientras lo caballeresco conservaba su encanto, el mundo retrocedía ante sus brillantes ejércitos; de modo que sus volúmenes han hecho tanto daño que toda su gloria literaria fue comprada muy cara, al precio de la ruina de su país.»

Precedentes literarios del «Quijote».

Desde el momento que el *Quijote* es una parodia de los libros de caballerías no será un buen camino buscar entre éstos sus precedentes. Cuando en la novela pesa el recuerdo de un libro de caballerías y algún episodio o trance de éstos se repite en las páginas de Cervantes, no se trata en modo alguno de fuentes de nuestro escritor, ya que éste lo que hace es caricaturizar el modelo, ridiculizarlo y parodiarlo. Si en algunos aspectos el *Quijote* ofrece la estructura y el estilo de los libros de caballerías es porque, para burlarse de ellos, los está remedando. Se ha llegado a decir que el *Quijote* era un gran libro de caballerías, o la sublimación e idealización de este género, sin advertir que es precisamente todo lo contrario, o sea su parodia.

Los precedentes del *Quijote* hay que buscarlos en otras parodias de la literatura épica o caballeresca, aunque no se trate de fuentes reales de Cervantes, que pudo desconocerlas. Prescindiendo de la *Batracomiomaquia,* poema burlesco en relación con las obras de Homero, que tiene su equivalente en la *Gatomaquia* de Lope de Vega y en otros poemas semejantes, es preciso recordar que en el siglo XII se escribió en francés una auténtica y consciente parodia de los cantares de gesta, el *Audigier,* obra desenfadada en la que se caricaturizan y envilecen tipos, pasajes y episodios de la epopeya medieval, concretamente del *Gerardo de Rosellón,* del que incluso se imita la métrica. El *Audigier,* de cuya existencia Cervantes no tuvo ni la menor noticia, está concebido con el propósito de hacer reír a un público acostumbrado a oír cantares de gesta, cuyo contenido heroico convierte en una farsa vulgar y grotesca. En España no faltan las parodias medievales de la literatura heroica. En el siglo XIII se escribió una composición gallegoportuguesa en tres estrofas, titulada *A gesta que fez don Alfonso López a don Meendo e a seus vassalos,* al estilo de las *cantigas de maldizer,* en la cual, a base de notas ridículas y grotescas, se va

149

describiendo cómo se arma un caballero, parodiando con toda intención y conciencia las características más salientes de los cantares de gesta franceses, concretamente la *Chanson de Roland*, como revela el hecho de que cada estrofa de la parodia vaya seguida de las letras *EOI* del mismo modo que tras las estrofas del famoso cantar francés aparece aquel enigmático *AOI*. En el mismo siglo el Arcipreste de Hita hace una auténtica parodia de las gestas en el tan conocido episodio de la *Pelea que hubo don Cornal con doña Cuaresma*, inserto en su *Libro de buen amor*.

Entre los libros de caballerías españoles se puede hallar alguno que señale alguna dirección confluyente en el *Quijote*. En el *Caballero Cifar*, por ejemplo, que Cervantes no demuestra jamás haber conocido, se advierten algunas características de Sancho en el escudero del héroe, «el ribaldo», en cuya conversación suele mezclar refranes y agudezas, aunque es un tipo completamente distinto, entre otras cosas porque llega a ser caballero y en el *Cifar* la caballería es cosa seria y sagrada.

Distinto es el caso de la novela caballeresca catalana *Tirante el Blanco*, escrita hacia 1460 por el caballero valenciano Johanot Martorell y cuya versión castellana se publicó en 1511. Cervantes la cita con entusiasmo, llamándola «tesoro de contento y mina de pasatiempos..., por su estilo el mejor libro del mundo», y la salva del fuego en que parecen los otros libros de don Quijote (I, 6). Cervantes señala perfectamente los méritos que ve en el *Tirante*: «aquí comen los caballeros, y duermen y mueren en sus camas, y hacen testamento antes de su muerte, con otras cosas de que todos los demás libros deste género carecen». La verosimilitud que campea en todo el *Tirante*, novela exenta de prodigios, maravillas, encantos y otras enormidades, y el constante humorismo de la novela catalana, son méritos, insólitos en libros de caballerías, que impresionaron a Cervantes. Hasta el punto que parece posible que para crear los tipos de Altisidora y de doña Rodríguez, figuras tan bien trazadas en la segunda parte del Quijote, se inspiró en Plaerdemavida y en la Viuda Reposada del *Tirante*, mujeres a las que Cervantes menciona expresamente («...las agudezas de la doncella Placerdemivida con los amores y embustes de la Viuda Reposada»). El espíritu divertido de Martorell, su afición por los refranes, su habilidad en el diálogo coloquial y familiar, su pintura de tipos humanos llenos de debilidades y de despreocupación y, sobre todo, las aventuras de un héroe de medida humana que transcurren en históricas y conocidas tierras mediterráneas y con geografía auténtica, son aspectos que por fuerza debían de agradar y de sorprender a Cervantes.

Indiscutible precedente del *Quijote* es un episodio que aparece en el libro de caballerías *Primaleón y Polendos,* impreso en 1534. Ante la corte de Constantinopla se presenta un escudero que lleva de la mano a una doncella; ambos eran tan feos que ponían el espanto en todo el mundo e iban vestidos de modo extravagante; pero el espanto se convirtió en risa cuando, de rodillas ante el emperador Palmerín, el escudero cuenta que se halla perdidamente enamorado de la doncella. Los cortesanos se burlan y le dicen que «la hermosura de la doncella es tanta que hará ser al caballero de gran ardimiento ante sí», y el emperador le concede la caballería, en medio de burlas y risas. Ahora bien, la fea doncella se llama Maimonda y el escudero manifiesta ser «el hidalgo Camilote». Nos hallamos, pues, frente a un auténtico precedente de los amores del «hidalgo don Quijote» y la labradora idealizada por el loco en Dulcinea del Toboso. Es muy posible que Cervantes se inspirara en el *Primaleón,* aunque hay que tener presente que este episodio del libro de caballerías es imitado en la *Tragicomedia de don Duardos* de Gil Vicente. Pero conviene no olvidar que el *Primaleón* fue traducido al italiano, en octava rima al estilo de poema épico, por Ludovico Dolce, y se publicó en Venecia, en 1562, con el título de *Primaleone, figliuolo di Palmerino.* Es posible que Cervantes conociera esta versión, aspecto que todavía no se ha estudiado. En cambio, las similitudes que más de una vez se han señalado entre el *Quijote* y el *Orlando furioso* de Ariosto y el *Baldo* de Merlín Cocayo no entran en la línea literaria de la novela de Cervantes de suerte que se les pueda otorgar la categoría de precedentes.

La tiene, en cambio, el humilde e insignificante *Entremés*

de los romances, antes estudiado, que sugirió a Cervantes los capítulos iniciales de la primera parte del *Quijote.*

Conviene insistir en un aspecto paródico del *Quijote* que advertían perfectamente con toda su intención los lectores del siglo XVII y que consiste en un constante remedo burlesco del estilo de los libros de caballerías y el lenguaje cómicamente arcaico que actualmente muy pocos pueden percibir. Se trata del que puso Cervantes en boca de don Quijote. El lector actual no especializado, cuando encuentra en la novela formas como «Non fuyades», «fermosas señoras», «habedes fecho», «maguer», «cautivo», etc., ha de tener en cuenta que tales voces eran ya arcaicas en tiempos de Cervantes, en el que ya se decía, como ahora, «No huyáis», «hermosas señoras», «habéis hecho», «aunque», «desdichado», etc. En la segunda parte, no obstante, Cervantes recurre menos a los arcaísmos. Y lo curioso es que en algunas ocasiones este lenguaje anticuado, propio de los libros de caballerías, se pega a los interlocutores de don Quijote. Vimos antes que don Quijote no fue jamás caballero, y que las personas que se topan con él se dividen en dos categorías: la de los sensatos e inteligentes, que advierten que es un loco, y la de los tontos o simples, que se creen que se hallan frente a un caballero andante. En este aspecto, y por lo que se refiere al estilo retumbante caballeresco, es curioso comparar dos parlamentos casi iguales de dos mujeres diametralmente distintas. La inteligente y discreta Dorotea, impuesta en su papel de princesa Micomicona, con la finalidad de hacer volver a su aldea a don Quijote, cuya locura ha comprendido perfectamente, cae a sus plantas y le dice: «De aquí no me levantaré, ¡oh valeroso y esforzado caballero!, fasta que la vuestra bondad y cortesía me otorguen un don, el cual redundará en honra y prez de vuestra persona y en pro de la más desconsolada y agraviada doncella que el sol ha visto. Y si es que el valor de vuestro fuerte brazo corresponde a la voz de vuestra inmortal fama, obligado estáis a favorecer a la sin ventura que de tan lueñes tierras viene, al olor de vuestro famoso nombre, buscándoos para remedio de sus desdichas» (I, 29). Dorotea ha sabido dar a sus palabras el tono que empleaban las doncellas menesterosas de ayuda en los libros de caballerías, adornándolo por lo menos con cuatro arcaísmos («fasta», «la vuestra», «en pro», «lueñes»), aunque su inteligente humor se ha permitido una ligera broma («al *olor* de vuestro famoso nombre»). Doña Rodríguez, genial creación cervantina de mujer tonta y chismosa, cree a pies juntillas que don Quijote es un caballero de verdad y acude a él para que defienda el honor de su hija, que realmente ha sido ultrajado. Lo admirable es que doña Rodríguez habla a don Quijote, *en serio,* de un modo muy similar al que le habló Dorotea, *en burla.* Dice la tonta de doña Rodríguez: «Días ha, valeroso caballero, que os tengo dada cuenta de la sinrazón y alevosía que un mal labrador tiene fecha a mi muy querida y amada hija, que es esta desdichada que aquí está presente, y vos me habedes prometido de volver por ella, enderezándole el tuerto que le tienen fecho, y agora ha llegado a mi noticia que os queredes partir deste castillo...» (II, 52). Doña Rodríguez, que juzga esta ocasión una de las más importantes de su vida y que cree que habla con un ser superior, se ha esforzado en recordar el estilo de los libros de caballerías que ha leído y ha dado a sus palabras un acusado tinte arcaico («fecha», «fija», «habedes prometido de», «fecho», «agora», «queredes»).

Lo importante y decisivo del *Quijote* es que, siendo una novela que se propone satirizar una moda literaria española de su época, que actualmente no significa casi nada para nosotros, tenga una validez perenne y constante no tan sólo en España sino en todo el mundo civilizado, y que agrade e interese a lectores que no han leído ni un triste libro de caballerías, desconocen las características de este género e incluso están muy alejados, geográfica y cronológicamente, de la España del siglo XVII. Lo que pudo ser un libro de mera crítica literaria de circunstancias adquirió, gracias al genio y al arte perfectamente conscientes de Cervantes, una categoría superior, un sentido permanente y una trascendencia universal.

Estructura del «Quijote».

Todo lector del *Quijote* advierte en seguida que la primera parte de la novela ofrece una notable diferencia con la segunda. En la primera, aparecida en 1605, la acción principal, o sea las aventuras de don Quijote, se ve suspendida por otros relatos intercalados en el texto. Estos relatos intercalados ofrecen varios aspectos. El de carácter más ajeno y extemporáneo a la acción es la novela *El curioso impertinente* (I, 33-35), que es leída por el cura a los que en aquel momento se encuentran en la venta. El asunto y el estilo de la novela no tienen absolutamente nada que ver con los del *Quijote,* e incluso se sitúa en Florencia y un siglo antes de la acción principal de la obra. Se trata de un caso de «literatura dentro de literatura», y la inserción de este largo relato podría perfectamente suprimirse del *Quijote,* como hacen la mayoría de lectores de la gran obra de Cervantes, que se saltan *El curioso impertinente,* novela de gran valor, que agrada leer por separado, pero que evidentemente molesta al que está interesado, con justísimas razones, en las aventuras del hidalgo manchego.

El relato de la vida del Cautivo (I, 39-41) tiene el grave inconveniente de intercalarse con demasiada proximidad a la lectura de *El curioso impertinente,* y, por lo tanto, de dilatar más la aparición de lo que realmente espera el lector, o sea a don Quijote. Pero la historia del Cautivo aparece un poco más imbricada a la trama general de la obra, porque, al fin y al cabo, se trata de la narración de la biografía de un personaje que entra a formar parte en la acción, aunque tenga en ella un papel muy marginal y secundario.

La historia de Grisóstomo y Marcela (I, 12-14) constituye una especie de novela pastoril que no se puede considerar como intercalada en la acción del *Quijote,* ya que en parte es relatada por el cabrero y en parte presenciada por don Quijote y Sancho. Los amores de Cardenio y Luscinda y de don Fernando y Dorotea (I, 24 y ss.) tienen un carácter parecido, ya que se nos narran sus antecedentes y asistimos a su desenlace, y tras éste los personajes principales del conflicto amoroso se incorporan a la acción propia del *Quijote*.

Estas intercalaciones, principalmente la de *El curioso impertinente* y la historia del Cautivo, han sido y son consideradas por parte de la crítica como desaciertos de Cervantes, al paso que otros críticos las justifican y las consideran sabiamente insertadas por el autor. Sea lo que fuere, lo cierto es que los contemporáneos de Cervantes ya criticaron la intercalación, y que éste, en la segunda parte, hablando del primer tomo de su obra dice que «una de las tachas que ponen a tal historia... es que su autor puso en ella una novela intitulada *El curioso impertinente;* no por mal razonada, sino por no ser de aquel lugar, ni tiene que ver con la historia de su merced del señor don Quijote» (II, 3).

Cervantes enmienda esta técnica en la segunda parte, en cuyos setenta y cuatro capítulos no abandona a don Quijote y Sancho, mantiene una acción seguida y evita las intercalaciones de bulto. En la segunda parte, que apareció en 1615, don Quijote y Sancho van siempre juntos y dialogan constantemente, lo que constituye uno de los mayores atractivos de la novela. Pero llega un momento en que amo y criado deben separarse, ya que éste ha de trasladarse a la Ínsula Barataria para ejercer sus funciones de gobernador, al paso que aquél queda en el palacio de los Duques. Aquí Cervantes vuelve a hablar de la técnica de la primera parte de su obra, y justifica los relatos intercalados que en ella aparecen, con estas palabras: «Dicen que en el propio original desta historia se lee que llegando Cide Hamete a escribir este capítulo [*el primero en que se separan Sancho y don Quijote*], no le tradujo su intérprete [*o sea Cervantes*] como él le había escrito, que fue un modo de queja que tuvo el moro de sí mismo, por haber tomado entre manos una historia tan seca y tan limitada como esta de don Quijote, por parecerle que siempre había de hablar dél y de Sancho, sin osar estenderse a otras digresiones y episodios más graves y más entretenidos; y decía que el ir siempre atenido el entendimiento, la mano y la pluma a escribir de un solo sujeto y hablar por las bocas de pocas personas, era un trabajo incom-

155

portable, cuyo fruto no redundaba en el de su autor, y que por huir deste inconveniente había usado en la primera parte del artificio de algunas novelas, como fueron las de *El curioso impertinente* y la del *Capitán cautivo*, que están como separadas de la historia, puesto que las demás que allí se cuentan son casos, sucedidos al mismo don Quijote, que no podían dejar de escribirse» (II, 44). Con estas últimas palabras Cervantes está justificando las historias de Marcela y Grisóstomo y de Cardenio y don Fernando, pues son «casos sucedidos al mismo don Quijote», ya que no tiene argumentos suficientes para defender la intercalación de *El curioso impertinente* y la historia del Cautivo.

Así que amo y criado se separan, Cervantes procura alternar la narración de los sucesos de uno y otro: el capítulo 44 va dedicado a don Quijote, el 45 a Sancho, el 46 a don Quijote, el 47 a Sancho, el 48 a don Quijote, el 49 a Sancho, el 50 parte a don Quijote y a la mujer de Sancho, el 51 a Sancho, el 52 a don Quijote, el 53 a Sancho, y el siguiente, parte a don Quijote y final del gobierno de Sancho. El epígrafe de este último, en el que Ricote cuenta sus desdichas, revela el afán de Cervantes de justificarse frente a los que discuten la estructura de su obra, ya que reza: «Que trata de cosas tocantes a esta historia, y no a otra alguna». Por otra parte, estos capítulos que tratan sólo del amo o del criado van enlazados con ciertas frases al final que tienden a no romper la unidad de la novela: «Y con esto, cerró [don Quijote] de golpe la ventana, y despechado y pesaroso como si le hubiera acontecido alguna gran desgracia, se acostó en su lecho, donde le dejaremos por ahora, porque nos está llamando el gran Sancho Panza, que quiere dar principio a su famoso gobierno» (II, 44); «Y quédese aquí el buen Sancho, que es mucha la priesa que nos da su amo, alborotado con la música de Altisidora» (II, 45); «...le sucedió otra aventura más gustosa que la pasada, la cual no quiere su historiador contar ahora, por acudir a Sancho Panza, que andaba muy solícito y muy gracioso en su gobierno» (II, 46); «Pero dejemos con su cólera a Sancho, y ándese la paz en el corro, y volvamos a don Quijote, que le dejamos vendado el rostro y...» (II, 47); «Pero ello se dirá a su tiempo, que Sancho Panza nos llama y *el buen concierto de la historia* lo pide» (II, 48), etc. De esta suerte Cervantes no desampara a sus dos protagonistas y nos narra paralelamente las aventuras del uno y del otro. Esta técnica no tan sólo se halla en los libros de caballerías, sino también en las crónicas medievales.

La narración del *Quijote* se expone en riguroso orden cronológico, sin retrocesos de la acción, y cuando es preciso explicar acontecimientos pasados, como ocurre en la historia de Cardenio y don Fernando, ellos se ponen en forma de relato hecho en primera persona por los interesados o por testigos de los sucesos, como el cabrero que narra la historia de Marcela y Grisóstomo.

Estilo del «Quijote».

Examinado desde el punto de vista más inmediato y marginal, el *Quijote* como tantas otras obras geniales de la literatura universal, ofrece una serie de defectos, fruto muchos de ellos de la precipitación y descuido con que parece estar redactado. Da la impresión de que Cervantes escribía sin releer su labor. Así se explica el hecho de que los epígrafes de algunos capítulos corten frases que deberían estar juntas, y que quedan confusas gramaticalmente (dañan la ilación, por ejemplo, los epígrafes de los capítulos 4 y 6 de la primera parte, el 73 de la segunda), y que en el transcurso de la novela la mujer de Sancho reciba los nombres de Teresa Panza, Teresa Cascajo, Juana Gutiérrez, Mari Gutiérrez y Juana Panza. El principal descuido de Cervantes es el relativo al robo del rucio de Sancho y su recuperación. En la primera edición de la primera parte no se menciona el robo, y Sancho unas veces aparece acompañado de su jumento y otras a pie lamentando su pérdida. El hallazgo, que debe acaecer en el capítulo 30, tampoco se menciona en la primera edición. En la segunda edición, en cambio, se intercala el episodio del robo del rucio, efectuado por Ginés de Pasamonte, en un estilo inconfundiblemente cervantino, pero en el capítulo 23, lo que no es una solución satisfactoria porque poco después, con gran sorpresa del lector, Sancho aparece montado en su asno. En esta segunda edición se intercala también, y esta vez acertadamente, el hallazgo en el capítulo 30. Es posible que ello se deba a que Cervantes primeramente hubiese situado los episodios que llenan los capítulos 11 a 14 (historia de Grisóstomo y Marcela) donde está ahora el 25 (don Quijote en Sierra Morena), y que al trasladarlos al lugar que ocupan actualmente, se le hubiera traspapelado la narración del robo del rucio. Sea lo que fuere, no obstante, se trata de un auténtico error de la primera parte de la novela. Ahora bien, lo realmente curioso es que en el capítulo 3 de la segunda parte, comentando el propio *Quijote*, o sea el primer tomo de la obra, dice el bachiller Sansón Carrasco: «algunos han puesto falta y dolo en la memoria del autor, pues se le olvida de contar quién fue el ladrón que hurtó el rucio a Sancho, que allí no se declara y sólo se infiere de lo escrito que se le hurtaron, y de allí a poco le vemos a caballo sobre el mesmo jumento, sin haber parecido». Téngase en cuenta que estas palabras se imprimieron en 1615, cuando ya hacía diez años que se publicaban ediciones de la primera parte del *Quijote* con los episodios añadidos del robo y del hallazgo. No interesa aquí el problema «crítico» o editorial de este aspecto, sino el hecho curioso de que un error del *Quijote* sea debatido en el *Quijote* mismo, hasta el punto que constituye una característica de la novela. Esto debería comentarse y criticarse, y Lope de Vega no perdió la ocasión de zaherir a Cervantes en su comedia *Amar sin saber a quién,* donde el personaje Inés dice:

> Don Quijote de la Mancha
> (perdone Dios a Cervantes)
> fue de los extravagantes
> que la corónica ensancha;

y poco después el gracioso Limón pierde una mula, y comenta:

> Decidnos della, que hay hombre
> que hasta de una mula parda
> saber el suceso aguarda,

158

> la color, el talle y nombre.
> O si no, *dirán que fue*
> *olvido del escritor...*

La alusión al rucio de Sancho Panza no puede ser más evidente.

Hay en la trama del *Quijote* un grueso error cronológico, ya que en el capítulo 36 de la segunda parte se inserta una carta de Sancho a su mujer que va fechada el 20 de julio de 1614 (sin duda el mismo día en que Cervantes la estaba escribiendo), siendo así que la acción de esta segunda parte se da como iniciada un mes después de acabada la de la primera, que se publicó en 1605.

Esta prisa y descuido de Cervantes al escribir se manifiesta en aquel rasgo tan suyo y tantas veces repetido que consiste en dar un dato a destiempo introduciéndolo con la expresión «Olvidábaseme de decir...», que aunque suele dar una nota afectiva al estilo, en el fondo revela cierta pereza del escritor, que prefiere recurrir a este subterfugio a volver atrás en sus cuartillas para consignar el dato que se dejó en el tintero.

Los defectos mismos del *Quijote*, pues, constituyen una característica de la obra y nos la hacen inmediata y próxima. Nos damos cuenta de que el escritor está constantemente a nuestro lado, y nos habla de su propio libro, de sus defectos, de su labor de novelista y de él mismo, cuando emerge en la acción presentándosenos en Toledo hallando el original de Cide Hamete Benengeli.

La variedad de asuntos y personajes que se mezclan en la primera parte del *Quijote* hacen que el estilo narrativo y dialogado de ésta no sea lo uniforme que es el de la segunda. Allí los matices son más acusados y los cambios de estilo harto frecuentes. Hay en el *Quijote*, en ambas partes, un estilo perfectamente acomodado a la trama principal de la novela. Pero en la primera parte hay pasajes de estilo propio de la novela pastoril, como es el episodio de Marcela y Grisóstomo. Los sutiles parlamentos de Ambrosio y de Marcela, ambos pastores ilustrados, nos trasladan al arbitrario mundo literario de las *Dianas* y las *Galateas*, y no faltan los pastores-poetas, como el propio Grisóstomo y el citado Ambrosio, que escribe el epitafio de éste. Incluso Antonio, «zagal muy entendido y muy enamorado, y que, sobre todo, sabe leer y escrebir y es músico de un rabel», regala los oídos de don Quijote con el romance «Yo sé, Olalla, que me adoras» (I, 11). Estos pastores cultos ofrecen cierto contraste con el cabrero Pedro, cuyo relato está salpicado de vulgarismos que crispan a don Quijote. Pero el contraste más destacado de este episodio pastoril lo hallamos en la segunda parte de la novela cuando don Quijote y Sancho ven «saliendo de entre unos árboles, dos hermosísimas pastoras; a lo menos, vestidas como pastoras, sino que los pellicos y sayas eran de fino brocado, digo, que las sayas eran riquísimos faldellines de tabí de oro. Traían los cabellos sueltos por las espaldas, que en rubios podían competir con los rayos del mismo sol...» (II, 58). Pero no crea el lector, alarmado, que Cervantes va a incidir en un nuevo episodio pastoril, como el de Marcela y Grisóstomo. Han pasado diez años desde que escribió la primera parte, y ha comprendido que el *Quijote* no debe contaminarse con otros géneros literarios que, como el pastoril, tanto distan de lo esencial de la gran novela. Tales doncellas no son más que hijas de «gente principal» de una aldea próxima, que se han disfrazado de pastoras y se proponen hacer una representación recitando «dos églogas, una del famoso poeta Garcilaso, y otra del excelentísimo Camoes en su misma lengua portuguesa». Se trata de una «fingida Arcadia» que, días después, en el triste regreso, sugerirá a don Quijote la idea de hacerse pastor y andar «por los montes, por las selvas y por los prados, cantando aquí, endechando allí, bebiendo de los líquidos cristales de las fuentes, o ya de los limpios arroyuelos, o de los caudalosos ríos...» (II, 67), y lo demás que sigue, donde Cervantes aplica a la novela pastoril el mismo estilo de parodia que ha aplicado a los libros de caballerías.

En la primera parte del *Quijote* apunta varias veces el estilo de la novela picaresca, tan en boga en aquel tiempo y con el que Cervantes había coincidido con sus novelas *Rinconete y Cortadillo* y *Coloquio de los perros*. Ello aparece principalmente en el capítulo dedicado a la aventura de los galeotes (I, 22), sobre todo en la figura de Ginés de Pasamonte, delincuente que está escribiendo «por estos pulgares» su autobiografía, que, como es natural, se titula *La vida de Ginés de Pasamonte,* que es tan buena que «mal año para *Lazarillo de Tormes* y para todos cuantos de aquel género se han escrito o escribieren». La jerga que emplean los personajes que aparecen en este capítulo — jerga que don Quijote se ve precisado a hacerse declarar — intensifica su parecido con la novela picaresca.

Ya vimos que la historia del Cautivo cae dentro del estilo de las novelas moriscas de la época. El estilo de este relato intercalado se destaca muy acusadamente del normal en el *Quijote,* gracias a su atmósfera argelina y al gran número de arabismos que aparecen en la narración, procedimiento de dar color local que sólo el español, entre las demás lenguas europeas, puede lograr. La novela de *El curioso impertinente,* con su ambiente italiano, los nombres de sus personajes (Anselmo, Lotario, Camila, Leonela) y su conflicto psicológico, nos lleva a un tipo de relato muy diverso de aquel en el cual está intercalada, contraste que Cervantes hace patente y decisivo cuando interrumpe la lectura de *El curioso impertinente* para narrar la aventura de don Quijote con los cueros de vino (I, 35).

Los discursos que pronuncia don Quijote en varias ocasiones son excelentes muestras de estilo oratorio: recordemos el de la Edad de Oro (I, 11), ante los cabreros, «que, sin respondelle palabra, embobados y suspensos, le estuvieron escuchando»; y el de las Armas y las Letras (I, 37), ante los discretos concurrentes de la venta de Palomeque, «que obligó a que, por entonces, ninguno de los que escuchándole estaban le tuviese por loco»; y la respuesta al eclesiástico que lo reprendió en la sobremesa del palacio de los Duques (II, 32). Este último constituye una magnífica defensa, a cuya eficacia contribuyen las más clásicas y típicas figuras retóricas del arte oratorio. El de las Armas y las Letras, versión renacentista del medieval debate entre el clérigo y el caballero, es también una obra maestra de oratoria y viene a ser un adecuado preámbulo a la historia del Cautivo, que sigue inmediatamente y que, no lo olvidemos, tiene muchos elementos autobiográficos.

Las cartas que se intercalan en el *Quijote* ofrecen multitud de aspectos variados e interesantes. Tenemos la auténtica misiva amorosa, grave y en trágico trance sentimental, como son la de Luscinda a Cardenio (I, 27) y la de Camila a su esposo Anselmo (I, 34); pero también la amorosa paródica, como es la de don Quijote a Dulcinea (I, 25), en la que se imita burlescamente el estilo de las misivas que aparecen en los libros de caballerías y que incluso parece remedar conceptos que figuran con toda seriedad y elegancia en una epístola poética del trovador Arnaut de Maruelh, que, desde luego, Cervantes, desconocía totalmente. Las cartas que se ve precisado a dictar Sancho Panza son ejemplares por su naturalidad, su gracia y su estilo directo y familiar, pero las superan las de su mujer, Teresa Panza, a la duquesa y a su marido (II, 52). Teresa Panza queda perfectamente retratada en estas dos divertidas misivas, a la vez ingenuas y sensatas, agudas y rústicas. Por lo que se refiere a escritos intercalados en el *Quijote,* es notable la «libranza pollinesca» (I, 25), graciosa parodia del estilo mercantil: «Mandará vuestra merced, *por esta primera de pollinos,* señora sobrina, dar a Sancho Panza, mi escudero, tres de los cinco que dejé en casa...», Las historietas y cuentecillos tradicionales, que tanto abundan en el *Quijote,* muchas veces puestos en boca de Sancho, demuestran hasta qué punto un escritor culto y elegante como Cervantes es capaz de reproducir y asimilar el estilo coloquial del pueblo.

La prosa del *Quijote* reviste multitud de modalidades estilísticas encaminadas a la eficacia y al arte, a base de la fórmula que el propio Cervantes da en el prólogo de la primera parte, donde el fingido amigo le aconseja que procure que «a la llana, con palabras significantes, honestas y bien colocadas, salga vuestra oración y período sonoro y festivo, pintando, en todo lo que alcanzáredes y fuera posible, vuestra intención; dando a entender vuestros conceptos sin intricarlos ni escurecerlos. Procurad también que, leyendo vuestra historia, el melancólico se vuelva a risa, el risueño la acreciente, el simple no se enfade, el discreto se admire de la invención, el grave no la desprecie, ni el prudente deje de alabarla».

Una serie de factores, que sería largo enumerar, contribuyen a realizar este ideal de precisión y belleza. La descripción de los pies de Dorotea (I, 28), por ejemplo, es una excelente muestra de estilo detallista, pormenorizado, lento, en el que las alusiones al arroyo, al cristal, a la blancura y al alabastro producen en el lector una imagen perfecta de la belleza ideal de lo descrito y hacen que quede desde este momento perfectamente individualizada la imagen física de Dorotea. Contrastan con este estilo los pasajes de descripciones de pendencias y riñas, de palizas y tumultos, en los que Cervantes logra transmitir la impresión de movimiento rápido, de desorden y de acumulación de diversas acciones y situaciones de personajes lanzados al desenfreno. El final del capítulo XVI de la primera parte, donde se narran los sucesos de la venta provocados por Maritornes, constituye un feliz ejemplo de dinamismo narrativo que pocos escritores han conseguido emular; y lo mismo puede decirse de las infinitas palizas que reciben don Quijote y Sancho, en las que se describen no tan sólo los golpes, sino también los movimientos de los contendientes y sus posiciones de lucha.

El diálogo es en el *Quijote* uno de los mayores aciertos estilísticos. Cervantes hace hablar a sus personajes con tal verismo que ello constituye un tópico al tratar de la gran novela. La conversación pausada y corriente con que don Quijote y Sancho alivian la monotonía de su constante vagar, es algo esencial en la novela, que suple con decisiva ventaja cualquier otro procedimiento descriptivo. Don Quijote se ve obligado a levantar la prohibición de departir con él que había impuesto a Sancho (I, 21), porque ni el escudero puede resistir el «áspero mandamiento del silencio», ni don Quijote es capaz de seguir callado, ni la novela pudiera proseguir condenando a sus dos protagonistas al mutismo. Pero otras veces el diálogo adquiere una especie de técnica dramática y se hace rápido, vivaz, y se enlaza en preguntas y respuestas, al estilo de: «— Así es la verdad — dijo don Quijote — y proseguid adelante; que el cuento es muy bueno, y vos, buen Pedro, lo contáis con muy buena gracia. — La del Señor no me falte, que es la que hace el caso», contesta Pedro (I, 12); «— ¿Luego venta es ésta? —

replicó don Quijote. —Y muy honrada —respondió el ventero» (I, 17), y otros infinitos ejemplos.

Los personajes principales que hablan en el *Quijote* quedan perfectamente individualizados por su modo de hablar: Ginés de Pasamonte, con su orgullo, acritud y jerga; doña Rodríguez, revelando a cada paso su inconmensurable tontería; el Primo que acompaña a don Quijote a la cueva de Montesinos, poniendo de manifiesto su chifladura erudita; los Duques, con dignidad, si bien ella revela en un momento determinado (II, 48) su bajeza; el canónigo aparece como un discreto opinante en materias literarias. El vizcaíno queda perfectamente retratado con su simpática intemperancia y con su divertida «mala lengua castellana y peor vizcaína» (I, 8), y el cabrero Pedro y Sancho Panza, con sus constantes prevaricaciones idiomáticas.

Estos últimos casos —del vizcaíno, del cabrero y de Sancho —entran ya en una zona humorística, y Cervantes persigue con tales deformaciones idiomáticas suscitar la risa del lector. Pues no olvidemos que uno de los propósitos del novelista es lograr que «el melancólico se vuelva a risa, el risueño la acreciente». De ahí la infinidad de chistes y de juegos de palabras y expresiones irónicas que se acumulan para acrecentar la comicidad de las situaciones. Cervantes, cuando narra las aventuras de don Quijote, lo hace siempre en estilo irónico, lo que se advierte a cada paso en expresiones como «el jamás como se debe alabado caballero don Quijote de la Mancha» (I, 1), «una manada de puercos, que, sin perdón, así se llaman» (I, 2), «Sancho Panza sobre su jumento como un patriarca» (I, 7), «con corteses y hambrientas razones» (II, 20), «echando a rodar la honestidad» (I, 16), «y al descalzarse... se le soltaron no suspiros, ni otra cosa que desacreditase la limpieza de su policía, sino hasta dos docenas de puntos de una media» (II, 44), etcétera. Este estilo sería impropio de una obra de carácter grave, y bien se cuidó Cervantes de evitarlo en novelas como *La Galatea* o *Los trabajos de Persiles y Sigismunda*. En el *Quijote,* el novelista escribe cosas mucho más importantes, más serias y de más enjundia, con la sonrisa en los labios y el donaire siempre a flor de pluma. Hasta tal extremo llega esta actitud, que se ironiza incluso en los epígrafes de los capítulos; por ejemplo: «Del donoso y grande escrutinio que el cura y el barbero hicieron en la librería de nuestro ingenioso hidalgo» (I, 6); «La espantable y jamás imaginada aventura de los molinos de viento, con otros sucesos dignos de felice recordación» (I, 8); «Donde se prosiguen los innumerables trabajos que el bravo don Quijote y su buen escudero Sancho Panza pasaron en la venta que, por su mal, pensó que era castillo» (I, 17); «Alta aventura y rica ganancia del yelmo de Mambrino» (I, 21); «Los inauditos sucesos de la venta» (I, 44); «Donde se cuenta lo que en él se verá» (II, 9); «Donde se cuenta de la grande aventura de la cueva de Montesinos, que está en el corazón de la Mancha, a quien dio felice cima el valeroso don Quijote de la Mancha» (II, 22); «Que trata de muchas y grandes cosas» (II, 31); «Del temeroso espanto cencerril y gatuno...» (II, 46); «Que trata de lo que verá el que lo leyere, o lo oirá el que lo escuchare leer» (II, 66); «De la cerdosa aventura que le sucedió a don Quijote» (II, 68); «Capítulo setenta: Que sigue al de sesenta y nueve, y trata de cosas no escusadas para la claridad desta historia» (II, 70), etc. En la mayoría de estos epígrafes Cervantes parodia los altisonantes de los libros de caballerías, pero en general no puede permitir que falte la nota irónica en ningún encabezamiento, de tal suerte que en el *Quijote* hasta resulta divertida la mera lectura del índice.

Así, pues, el *Quijote* — descontando las novelas intercaladas de la primera parte — está estructurado y basado en un constante humorismo del escritor, pues no en vano la obra, desde el punto de vista de su clasificación entre los géneros literarios, es una parodia. El modo de hablar de ciertos personajes contiene también eficaces elementos humorísticos, tanto por lo que afecta a los que de sí son graciosos (como Sancho) como aquellos que sencillamente dicen tonterías (el ventero Palomeque, el Primo, doña Rodríguez, Pedro Recio, el labrador de Miguel Turra).

La ironía de Cervantes desborda en los momentos más insospechados y adquiere gran fuerza cuando es totalmente gratuita, como cuando el ama afirma: «gasté más de seiscientos huevos, como lo sabe Dios y todo el mundo, y mis gallinas, que no me dejarán mentir» (II, 7), donaire paralelo a aquel de Sancho: «y ahí está mi asno en el establo, que no me dejará mentir» (I, 44). Uno de los episodios más divertidos es el de la visita de doña Rodríguez al aposento de don Quijote; éste cree que es un fantasma y la conjura, y ella replica: «Señor don Quijote, si es que acaso vuestra merced es don Quijote, yo no soy fantasma, ni visión, ni alma de purgatorio, como vuestra merced debe de haber pensado, sino doña Rodríguez» (II, 48). Cuando uno de los criados de don Luis se admira y se indigna de que tanta gente principal siga la corriente a don Quijote y afirme que la bacía y la albarda son yelmo y rico jaez, exclama, tras un juramento: «que no me den a entender cuantos hoy viven en el mundo al revés, de que ésta no sea bacía de barbero y ésta albarda de asno», el cura replica socarronamente: «Bien podría ser de borrica» (I, 45). Estas notas humorísticas, totalmente innecesarias, de que está lleno el *Quijote,* le dan un estilo cómico bien definido. Cervantes no se cansa de mantenerlo y logra que no decaiga jamás. Cuando el escritor acaba la segunda parte de la novela, tiene ya sesenta y ocho años, está en la miseria, ha padecido desdichas de toda suerte en la guerra, en el cautiverio, en su propio hogar, y ha recibido humillaciones y burlas en el cruel ambiente literario; a pesar de todo ello, y por encima de sus angustias, de su escasez y de sus penas, su buen humor y su agudo donaire inundan el *Quijote,* aunque sólo sea externamente y aunque tales bromas encubran amargas verdades y reales desengaños. Lo cierto es que la adversidad no ha agostado su buen humor ni ha amargado su espíritu.

Cervantes lleva al *Quijote* su interés por la literatura. En diversos pasajes de la novela se hace crítica literaria y se habla de libros: en los dos prólogos, en el escrutinio (I, 6), en el diálogo entre el cura y el canónigo (I, 48), en la conversación con el hijo del Caballero del Verde Gabán (II, 18), y en infinidad de ocasiones marginales. Los problemas literarios de su tiempo, los autores y los libros más en boga son citados o aludidos, a veces con malicia e intención satírica. Y es que Cervantes escribe para «discretos»», para personas que conocen los problemas literarios y principalmente para los intoxicados po. la literatura caballeresca. Ello degeneraría en algo así como la deformación profesional o en un libro de actualidad — y, por lo tanto, pasajero —, si no hubiese conseguido sublimarlo todo a categorías más altas y permanentes, y si no hubiera logrado reflejar lo general y eterno en lo particular y transitorio.

BIBLIOTECA BASICA SALVAT

RELACION DE TITULOS APARECIDOS